読んでみよう！

教科書に出てくる名作500冊

栗原浩美 監修

1～3年生

日外アソシエーツ

編集担当：木村 月子
装 丁：赤田 麻衣子／カバーイラスト：丸山 潤

まえがき

国語教科書には、さまざまな作品が掲載されています。それらは「教材」ではありますが、それと同時に、子どもたちに対する「読書への誘い」にもなっています。いずれの教科書においても、子どもたちの想像力や知的好奇心を刺激するとともに、感性を豊かにしてくれる魅力あふれた作品が、慎重に吟味されたうえで教材として選ばれています。すなわち、これら教科書に掲載された作品群は、まさに良書の宝庫といえるでしょう。

実際、教科書で学んだことをきっかけに、教材の元になった本を求めたり、さらには、同じ著者の作品に興味を広げたりしていく子どもも多く見受けられます。

私が学校司書として勤務する筑波大学附属小学校では、国語科の授業の中で、教材のシリーズ作品や同じ著者の作品を読む並行読書が積極的に行われています。学校図書館でも、それらの授業を支援できるように教材に関連する図書を整備したり、読み聞かせやブックトーク、展示などを行ったりして、教材から読書への興味につなげていけるようにしています。

本書は、2008年に刊行された『読んでおきたい名著案内　教科書掲載作品　小・中学校編』の続編という位置づけであり、同書の刊行以降に発行された小学校国語教科書に掲載された作品を調査するとともに、各作品が掲載されている図書に関する書誌情報を収録しています。

一方で、レファレンスツールとしてだけでなく、ブックガイドとしても活用できるよう、低学年と高学年の２分冊とし、著者別に紹介しています。また、一部の図書については書影も掲載するなどビジュアルにも配慮した分かりやすい選書を心がけました。

小学校の国語科授業における発展的な読書活動の支援のほか、学校図書館における選書や読書案内にもそのまま活用できるでしょう。また、公共図書館での活用はもちろんのこと、教科書研究や児童文学研究の資料としても活用していただければ幸いです。

2023 年 11 月

栗原 浩美

筑波大学附属小学校図書館での一コマ

低学年の読書風景。２年生が１年生に本を紹介して一緒に読む。

学校図書館への入り口

図書館書棚

凡　　例

1．本書の内容

2011（平成23）年版から、2024（令和6）年版までの、小学校国語教科書（1年生～3年生）に掲載された作品を、著者ごとに記載したブックガイドである。

2．収録対象

(1) 2011（平成23）年以降に発行された小学校国語教科書に掲載された主に物語文・詩・説明文より、原則として著者名や題名が記載されたもののうち、出典や関連性を持つ図書のある139名の215作品、586冊を収録した。

(2) 教科書出版社から公表されているデータをもとに、各種図書館等で可能な限り現物調査を行った。

3．記載事項など

(1) 著者名

・教科書掲載作品の著者・訳者などを見出しとし、翻訳作品は原著者と翻訳者それぞれを見出しとした。

・排列は著者名の読みの五十音順とした。

(2) 作品名

・教科書に掲載された作品名は〈　〉で囲んで示した。

・同一著者名の下では、作品名の読みの五十音順に排列した。

・表記は原則として各教科書での記載の通りにした。したがって、同一の作品であっても表記が異なる場合は並列して記載している。

（例）　〈お手がみ〉
　　　　〈お手紙〉

(3) 教科書データ

・作品が掲載されている教科書の発行者名、教科書名、使用開始年を記載した。

・発行者名については略称を使用した。正式名称については以下の通りである。

(学図) 学校図書　(教出) 教育出版　(三省堂) 三省堂

(東書) 東京書籍　(光村) 光村図書出版

(4) 図書データ

・教科書掲載作品の出典とされている図書、または作品が収録されている図書を可能な限り調査し、著者の著作を中心に収録した。

・教科書掲載作品と関連する図書、シリーズとなっている図書も一部収録し、〔関連図書〕〔シリーズ〕と補記した。

・図書の中には現在品切れ、重版未定等の図書も含まれている。図書館等の蔵書も検索されたい。

(5) 図書の記述

記述内容および記載順序は以下の通りである。

『書名―副書名　巻次　各巻タイトル等』

著者表示

内容

目次

出版社　出版年月　ページ数または冊数、大きさ（叢書名 叢書番号）、定価（刊行時等）、ISBN（Ⓘで表示）、NDC（Ⓝ で表示）

4．索　引

(1) 教科書別索引

各教科書（使用開始年を併記）ごとに、本書で収録されている作品名を読みの五十音順で排列し、本書内の所在を掲載ページで示した。

(2) 書名索引

各図書を書名の五十音順に排列し、所在を掲載ページで示した。

5．参考資料

作品名調査には各教科書会社ホームページを参照した。図書の書誌事項はおもにデータベース「BookPlus」に拠ったが、必要に応じて「TRC MARC」も参照した。また、掲載に当たっては適宜編集部で記述形式などを改めたものもある。

目　次

あまん きみこ

〈おにたのぼうし〉

(教出)「ひろがる言葉 小学国語 三下」 2011, 2015, 2020, 2024
(三省堂)「小学生の国語 三年」 2011, 2015

『おにたのぼうし』

あまんきみこ著，いわさきちひろ画

内容 物置小屋のてんじょうに、おにたという名前の小さなくろおにのこどもがすんでいました。節分の夜、角かくしのむぎわらぼうしをかぶって、おにたは物置小屋をでていきました。

ポプラ社　1969.7　1冊　25cm　(おはなし名作絵本 2)
1000円
Ⓘ 4-591-00529-1　Ⓝ 913.6

『あまんきみこセレクション 4 《冬のおはなし》』

あまんきみこ著

目次 松井さんの冬（くましんし，本日は雪天なり，雪がふったら、ねこの市，たぬき先生はじょうずです），えっちゃんの冬（ストーブの前で），短いおはなし（ふたりのサンタおじいさん，一回ばなし 一回だけ，おにたのぼうし，ちびっこちびおに），すこし長いおはなし（すずかけ写真館，花と終電車，かまくらかまくら雪の家），長いおはなし（ねこん正月騒動記，ふうたの雪まつり，花のピアノ），あまんきみこの広がる世界へ（赤い凧，うぬぼれ鏡，北風を見た子），対談 冬のお客さま 宮川ひろさん

内容 40年を超える創作活動の最大規模の集大成！デビュー作から教科書掲載の名作まで、心をふるわせる物語18編。

三省堂　2009.12　318p　21cm　2000円
Ⓘ 978-4-385-36314-1　Ⓝ 913.6

『あまんきみこ童話集 1』

あまんきみこ作，渡辺洋二絵

目次 おにたのぼうし，きつねみちは天のみち，七つのぽけっと，ぽんぽん山の月，金のことり

内容 おにの子、風の子、かっぱや、やまんばが、ほら、きみのすぐそばにいるよ！身近なところにこっそりかくれている、あたたかなファンタジー「あまんきみこ童話集1」。

ポプラ社　2008.3　145p　21×16cm　1200円
Ⓘ978-4-591-10118-6　Ⓝ913.6

『銀の砂時計』

あまんきみこ著

目次 七つのぽけっと，ままごとのすきな女の子，はなおばあさんのお客さま，おにたのぼうし，ふしぎな公園，野原の歌，金の小鳥，きつねのお客さま，ちいちゃんのかげおくり，かまくらかまくら雪の家，よもぎ野原の誕生会，バクのなみだ

内容 空色のタクシーで幼稚園の見学に行った子だぬきたち。あんまり楽しくて、ついしっぽをぶらんと出してしまいます（「春のお客さん」）。子ねこのシロが赤い長靴をはいているのには、わけがありました（「よもぎ野原の誕生会」）。大すきなえっちゃんのために苦しい夢ばかり食べて、バクはすっかり病気になってしまいます（「バクのなみだ」）。―など、ふしぎなやさしさに満ちた童話12編を収録。

講談社　1987.10　186p　15cm　（講談社文庫）　320円
Ⓘ4-06-184108-4　Ⓝ913.8

〈きつねのおきゃくさま〉

（学図）「みんなと学ぶ 小学校こくご 二年上」 2015 「みんなと学ぶ 小学校こくご 二年下」 2020 （教出）「ひろがることば 小学国語 二上」 2011, 2015, 2020, 2024 （三省堂）「小学生のこくご 二年」 2011, 2015

『きつねのおきゃくさま』

あまんきみこ著，二俣英五郎画

サンリード　1984.8　32p　29cm　（創作えほん）　980円

内容 はらぺこきつねがあるいていると、やせたひよこにあったとさ。昔話風の語りで展開する、やさしいきつねの物語。

Ⓘ4-914985-27-6　Ⓝ913.6

『あまんきみこセレクション 3 《秋のおはなし》』

あまんきみこ著

目次 えっちゃんの秋（名前を見てちょうだい，ねん ねん ねん，あたしも、いれて，ふしぎなじょうろで水、かけろ），松井さんの秋（ねずみのまほう，山ねこ、おことわり，シャボン玉の森，虹の林のむこうまで），短いおはなし（青い柿の実，きつねのお客様，ひつじ雲のむこうに，ぽんぽん山の月，すずおばあさんのハーモニカ，秋のちょう），すこし長いおはなし（おしゃべりくらげ，金のことり，ねこルパンさんと白い船，さよならの歌，赤ちゃんの国，むかし星のふる夜），長いおはなし（おまけの時間，口笛をふく子，ふうたの風まつり，野のピアノ），あまんきみこの広がる世界へ（百ぴきめ，湖笛），対談 秋のお客さま 江國香織さん

内容 40年を超える創作活動の最大規模の集大成！「ほんとう」のことが秘められた、胸をうつやさしい物語26編。

三省堂　2009.12　318p　21cm　2000円
Ⓘ978-4-385-36313-4　Ⓝ913.6

『国語教科書にでてくる物語 1年生・2年生』

齋藤孝著

目次 1年生（タヌキのじてんしゃ（東君平），おおきなかぶ（トルストイ），サラダでげんき（角野栄子），いなばの白うさぎ（福永武彦），しましま（森山京），はじめは「や！」（香山美子），まのいいりょうし（稲田和子・筒井悦子），ゆうひのしずく（あまんきみこ），だってだってのおばあさん（佐野洋子），ろくべえまってろよ（灰谷健次郎），2年生（ちょうちょだけになぜなくの（神沢利子），きいろいばけつ（森山京），三まいのおふだ（瀬田貞二），にゃーご（宮西達也），きつねのおきゃくさま（あまんきみこ），スーホの白い馬（大塚勇三），かさこじぞう（岩崎京子），十二支のはじまり（谷真介），泣いた赤おに（浜田廣介））

ポプラ社　2014.4　284p　18cm　（ポプラポケット文庫）　700円
Ⓘ978-4-591-13916-5　Ⓝ913.68

『教科書にでてくるお話 2年生』

西本鶏介監修

目次 にゃーご（宮西達也），野原のシーソー（竹下文子），花いっぱいになぁれ（松谷みよ子），おおきなキャベツ（岡信子），名まえをみてちょうだい（あまんきみこ），いいものもらった（森山京），ワニのおじいさんのたからもの（川崎洋），コスモスさんからおでんわです（杉みき子），せなかをとんとん（最上一平），きつねのおきゃくさま（あまんきみこ），あたまにかきのき（望月新三郎），かさこじぞう（岩崎京子），きいろいばけつ（森山京），くま一ぴきぶんはねずみ百ぴきぶんか（神沢利子）

内容 現在使われている各社の国語教科書に掲載または紹介されている作品ばかりを集めたアンソロジーです。長く読みつがれている名作、心あたたまるお話、おもしろくて元気がでるお話など、すばらしい作品がいっぱい。作品の表記は原典に忠実にし、全文を掲載しています。教科書では気づかなった作品の魅力を、新たに発見できるかもしれません。小学校初・中級から。

ポプラ社　2006.3　190p　18cm　（ポプラポケット文庫）　570円
Ⓘ4-591-09168-6　Ⓝ913.68

『齋藤孝の親子で読む国語教科書 2年生』
斎藤孝著

目次 ちょうちょだけになぜなくの（神沢利子），きいろいばけつ（森山京），三まいのおふだ（瀬田貞二），にゃーご（宮西達也），きつねのおきゃくさま（あまんきみこ），スーホの白い馬（大塚勇三），かさこじぞう（岩崎京子），十二支のはじまり（谷真介），泣いた赤おに（浜田廣介）

内容 新しい国語の教科書を習う前に、親子で物語について語り合おう！2年生のための、楽しく、かなしく、心動かされる物語を掲載。齋藤孝のあたたかい解説を味わうことで、新しい読書の世界へのとびらが開きます。

ポプラ社　2011.3　142p　21cm　1000円
Ⓘ978-4-591-12286-0　Ⓝ817.5

〈ちいちゃんのかげおくり〉

（光村）「国語 あおぞら 三下」 2011, 2015, 2020, 2024

『ちいちゃんのかげおくり』
あまんきみこ著，上野紀子画

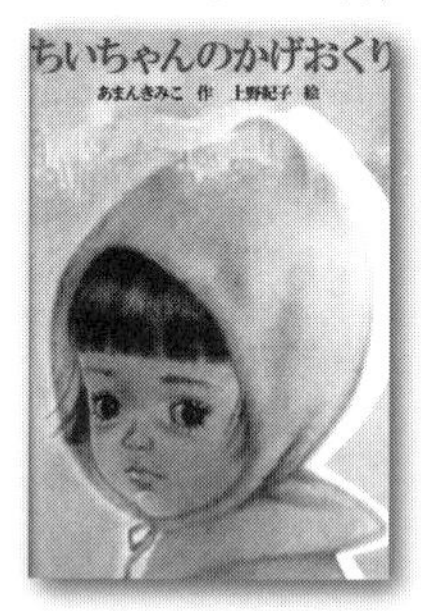

内容 夏のはじめのある朝、小さな女の子のいのちが、空にきえました。--悲惨な戦争の中に幼い命をとじた女の子の姿を、静かに描く。

あかね書房　1982.8　1冊　26cm　（あかね創作えほん 11）　1165円
Ⓘ4-251-03011-7　Ⓝ913.6

『ちいちゃんのかげおくり』
あまんきみこ作，上野紀子絵

あかね書房　2014.7　1冊　50×36cm　(あかね書房の大型絵本)　9000円
Ⓘ978-4-251-01003-2　Ⓝ913.6

『あまんきみこ童話集』

あまんきみこ著

目次 くもんこの話，いっかい話、いっかいだけ，ひゃっぴきめ，カーテン売りがやってきた，天の町やなぎ通り，野のピアノ野ねずみ保育園，海うさぎのきた日，きりの中のぶらんこ，さよならのうた，ふしぎな森，かくれんぼ，北風をみた子

内容 母を亡くしながら健気に生きる少女キクの、“いま”という時をめぐる温かな物語「北風をみた子」をはじめ、子どもの意識に自然と入り込んでくる不思議な時空との出会いを描いた「海うさぎのきた日」「さよならのうた」など、東洋的ファンタジー全12篇を厳選。光を放つ透明な文章で綴られた名作アンソロジー。

角川春樹事務所　2009.3　218p　15cm　(ハルキ文庫)　680円
Ⓘ978-4-7584-3397-6　Ⓝ913.6

『あまんきみこ童話集 5』

あまんきみこ作，遠藤てるよ絵

目次 こがねの舟（くもんこの話），ままごとのすきな女の子，ちいちゃんのかげおくり，おかあさんの目（おかあさんの目，天の町やなぎ通り，おしゃべりくらげ，おはじきの木），だあれもいない？（ふしぎな森，かくれんぼ）

内容 戦争で失われた命、消えることのない苦しみ、子どものなみだ。そして、それらを悲しみ、いつくしむ心…。いつの時代にも、ぜったいに忘れてはいけないことを切々と語りかける「あまんきみこ童話集5」。

ポプラ社　2008.3　141p　21×16cm　1200円
Ⓘ978-4-591-10122-3　Ⓝ913.6

『あまんきみこセレクション 2 《夏のおはなし》』

あまんきみこ著

目次 松井さんの夏（白いぼうし，すずかけ通り三丁目，霧の村），えっちゃんの夏（えっちゃんはミスたぬき，はやすぎる はやすぎる，とらをたいじしたのはだれでしょう，バクのなみだ），短いおはなし（うさぎが空をなめました，おかあさんの目，きつねのかみさま，きつねの写真，月夜はうれしい，夕日のしずく），すこし長いおはなし（ちいちゃんのかげおくり，天の町やなぎ通り，こがねの舟），長いおはなし（赤いくつをはいた子，海うさぎのきた日，きつねみちは天のみち，ふうたの星まつり，星のピアノ），あまんきみこの広がる世界へ（雲，黒い馬車），対談 夏のお客さま 岡田淳さん

内容 40年を超える創作活動の最大規模の集大成！いつかどこかで出会ったような、なつかしくて新しい名作23編。

三省堂　2009.12　318p　21cm　2000円
Ⓘ978-4-385-36312-7　Ⓝ913.6

『きつねの写真』

あまんきみこ作，いもとようこ絵

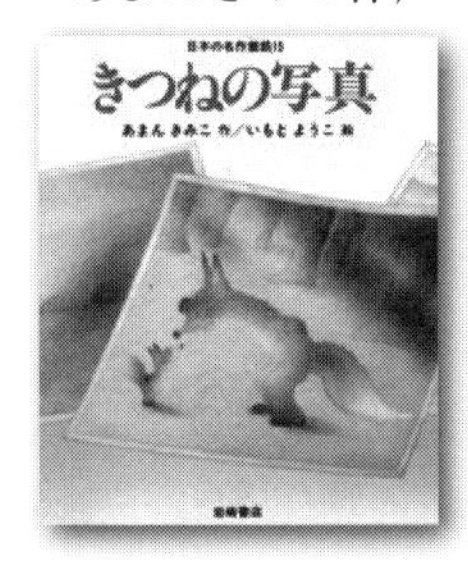

内容 ごんざ山にきつねの写真をとりにきた山野さん。そこに住んでいるおじいさんと孫に案内してもらい、きつねの住んでいた穴をみつけて大喜び。でも東京に帰って写真をみてみると…。標題作ほか5編を収録。

岩崎書店　1995.4　77p　22×19cm　（日本の名作童話 15）
1500円
Ⓘ4-265-03765-8　Ⓝ913.68

『戦争と平和のものがたり 1 《ちいちゃんのかげおくり》』

西本鶏介編，武田美穂絵

目次 ちいちゃんのかげおくり（あまんきみこ），かきとラッパ（花岡大学），戦争にでかけたおしらさま（さねとうあきら），大もりいっちょう（長崎源之助），ごんごろ鐘（新美南吉），星砂のぼうや（灰谷健次郎）

内容 「ひとーつ、ふたーつ、みーっつ。」夏のある朝、ちいちゃんの命は、空にきえていきました。おとうさん、おかあさん、おにいちゃんと、かげおくりをして遊ぶまぼろしを見ながら—。表題作「ちいちゃんのかげおくり」はじめ、戦争の時代を生きた作家が伝える、忘れてはならない大切なものがたり。

ポプラ社　2015.3　125p　21×16cm　1200円
Ⓘ978-4-591-14371-1　Ⓝ913.68

『もう一度読みたい教科書の泣ける名作』

Gakken編

目次 ごん狐（新美南吉著），注文の多い料理店（宮沢賢治著），大造じいさんとガン（椋鳩十著），かわいそうなぞう（土家由岐雄著），やまなし（宮沢賢治著），モチモチの木（斎藤隆介著），手袋を買いに（新美南吉著），百羽のツル（花岡大学著），野ばら（小川未明著），ちいちゃんのかげおくり（あまんきみこ著），アジサイ（椋鳩十著），きみならどうする（フランク・R.ストックタン著，吉田甲子太郎訳），とびこみ（トルストイ著，宮川やすえ訳），空に浮か

ぶ騎士（アンブローズ・ビアス著，吉田甲子太郎訳），形（菊池寛著），杜子春（芥川龍之介著）

内容 「ちいちゃんのかげおくり」「モチモチの木」「かわいそうなぞう」…。小学・中学の国語の教科書に掲載された作品から、懐かしい珠玉の名作16篇を収録。作者、採録された教科書の学年、当時の学習内容なども紹介。

Gakken　2023.8（初版：学研教育出版 2013年刊）　223p　17cm　809円
Ⓘ978-4-05-406942-8　Ⓝ908.3

『戦争と平和子ども文学館 12』

目次 ちいちゃんのかげおくり（あまんきみこ），砂の音はとうさんの声（赤座憲久），十日間のお客（川口志保子），赤ずきんちゃん（岩崎京子），山へいく牛（川村たかし），時計は生きていた（木暮正夫）

内容 「戦争児童文学」作品87点を選び、「戦争とは何か」「戦時下の暮らし」「沖縄戦」など14のテーマに分けて収録したもの。12巻には「ちいちゃんのかげおくり」「時計は生きていた」など6作品を収録。

日本図書センター　1995.2　317p　22cm　2719円
Ⓘ4-8205-7253-9　Ⓝ918.6

『齋藤孝の親子で読む国語教科書 3年生』

齋藤孝著

目次 いろはにほへと（今江祥智），のらねこ（三木卓），つりばしわたれ（長崎源之助），ちいちゃんのかげおくり（あまんきみこ），ききみみずきん（木下順二），ワニのおじいさんのたからもの（川崎洋），さんねん峠（李錦玉），サーカスのライオン（川村たかし），モチモチの木（斎藤隆介），手ぶくろを買いに（新美南吉）

内容 新しい国語の教科書を習う前に、親子で物語について語り合おう！3年生のための、楽しく、かなしく、心動かされる物語を掲載。齋藤孝のあたたかい解説を味わうことで、新しい読書の世界へのとびらが開きます。

ポプラ社　2011.3　142p　21cm　1000円
Ⓘ978-4-591-12287-7　Ⓝ817.5

『金ようびのどうわ』

日本児童文学者協会編

目次 ちいちゃんのかげおくり（あまんきみこ），少年と子だぬき（佐々木たづ），ねこがみわける（冨田博之），雨と太陽（小出正吾），はんの木のみえるまど（杉みき子），はまひるがおの小さな海（今西祐行）

内容 言葉の力、自由な読書力がつくように、分析でなくお話として楽しめるように、国語教科書に載った童話を集めたシリーズの5冊目。佐々木たづ「少年と子だぬき」、杉みき子「はんの木のみえるまど」など6編を収載。

国土社 1998.3 114p 21cm（よんでみようよ教科書のどうわ 1 しゅうかん 5）1200 円
Ⓘ4-337-09605-1 Ⓝ913

〈名前を見てちょうだい〉

（東書）「新しい国語 二下」 2011, 2015 「新しい国語 二上」 2020, 2024

『なまえをみてちょうだい』

あまんきみこ作，西巻茅子絵

目次 なまえをみてちょうだい，ひなまつり，あたしもいれて，みんなおいで

内容 教科書にでている「えっちゃん」のお話。えっちゃんは、おかあさんに赤いぼうしをもらいました。ぼうしのうらに、「うめだえつこ」と、青い糸でちゃんとししゅうしてあります。えっちゃんが門をでたときです。強い風がふいてきて…おなじみ、えっちゃんのものがたりが四つ、登場します。ちょっとした日常のファンタジー。

フレーベル館 2007.1 79p 21cm （おはなしひろば 10） 950 円
Ⓘ978-4-577-03335-7 Ⓝ913.6

『名前を見てちょうだい・白いぼうし』

あまんきみこ作，阪口笑子絵，宮川健郎編

内容 あまんきみこの不思議なファンタジーを絵どうわに。教科書でもおなじみ。風にとばされたえっちゃんの赤いぼうし。おっかけていくと、きつねが赤いぼうしをかぶっていて…。

岩崎書店 2016.2 61p 22×16cm
（はじめてよむ日本の名作絵どうわ 6） 1200 円
Ⓘ978-4-265-08506-4 Ⓝ913.6

『あまんきみこセレクション 3 《秋のおはなし》』

あまんきみこ著

目次 えっちゃんの秋（名前を見てちょうだい，ねん ねん ねん，あたしも、いれて，ふしぎなじょうろで水、かけろ），松井さんの秋（ねずみのまほう，山ねこ、おことわり，シャボン玉の森，虹の林のむこうまで），短いおはなし（青い柿の実，きつねのお客様，ひつじ雲のむこうに，ぽんぽん山の月，すずおばあさんのハーモニカ，秋のちょう），すこし長いおはなし（おしゃべりくらげ，金のことり，ねこルパンさんと白い船，さよならの歌，赤ちゃんの国，むかし星のふる夜）, 長いおはなし（おまけの時間, 口笛をふく子, ふうたの風まつり, 野のピアノ）, あまんきみこの広がる世界へ（百ぴきめ, 湖笛）, 対談 秋のお客さま 江國香織さん

内容 40年を超える創作活動の最大規模の集大成！「ほんとう」のことが秘められた、胸をうつやさしい物語26編。

三省堂 2009.12 318p 21cm 2000円
Ⓘ978-4-385-36313-4 Ⓝ913.6

『きつねの写真』

あまんきみこ作, いもとようこ絵

内容 ごんざ山にきつねの写真をとりにきた山野さん。そこに住んでいるおじいさんと孫に案内してもらい、きつねの住んでいた穴をみつけて大喜び。でも東京に帰って写真をみてみると…。標題作ほか5編を収録。

岩崎書店 1995.4 77p 22×19cm （日本の名作童話 15） 1500円
Ⓘ4-265-03765-8 Ⓝ913.68

『名まえをみてちょうだい』

あまんきみこ作, 西巻茅子絵

ポプラ社 1980.11 156p 18cm （ポプラ社文庫） 390円
Ⓝ913.6

『なまえを みてちょうだい』

あまんきみこ作, 鈴木まもる絵

フレーベル館 1989.5 31p 27×21cm （こねこのミュウ 1） 1000円
Ⓘ4-577-00941-2 Ⓝ913.6

〈夕日のしずく〉

（学図）「みんなと学ぶ 小学校こくご 二年上」 2011 （三省堂）「しょうがくせいのこくご 一年下」 2011, 2015

『ゆうひのしずく』

あまんきみこ文, しのとおすみこ絵

内容 ある夏の日。ひとりぼっちのきりんが、なだらおかを駆け上がって、遠くの海を見ていた。すると、どこからか、小さな声が聞こえてきた。「きりんくん、きりんくん」きりんは、草原を見回した…。

小峰書店　2005.7　28p　28×22cm（えほんひろば）1300円
Ⓘ4-338-18015-3　Ⓝ913.6

『あまんきみこセレクション 2 《夏のおはなし》』
あまんきみこ著

目次 松井さんの夏（白いぼうし，すずかけ通り三丁目，霧の村），えっちゃんの夏（えっちゃんはミスたぬき，はやすぎる はやすぎる，とらをたいじしたのはだれでしょう，バクのなみだ），短いおはなし（うさぎが空をなめました，おかあさんの目，きつねのかみさま，きつねの写真，月夜はうれしい，夕日のしずく），すこし長いおはなし（ちいちゃんのかげおくり，天の町やなぎ通り，こがねの舟），長いおはなし（赤いくつをはいた子，海うさぎのきた日，きつねみちは天のみち，ふうたの星まつり，星のピアノ），あまんきみこの広がる世界へ（雲，黒い馬車），対談 夏のお客さま 岡田淳さん

内容 40年を超える創作活動の最大規模の集大成！いつかどこかで出会ったような、なつかしくて新しい名作23編。

三省堂　2009.12　318p　21cm　2000円
Ⓘ978-4-385-36312-7　Ⓝ913.6

『国語教科書にでてくる物語 1年生・2年生』
齋藤孝著

目次 1年生（タヌキのじてんしゃ（東君平），おおきなかぶ（トルストイ），サラダでげんき（角野栄子），いなばの白うさぎ（福永武彦），しましま（森山京），はじめは「や！」（香山美子），まのいいりょうし（稲田和子・筒井悦子），ゆうひのしずく（あまんきみこ），だってだってのおばあさん（佐野洋子），ろくべえまってろよ（灰谷健次郎），2年生（ちょうちょだけになぜなくの（神沢利子），きいろいばけつ（森山京），三まいのおふだ（瀬田貞二），にゃーご（宮西達也），きつねのおきゃくさま（あまんきみこ），スーホの白い馬（大塚勇三），かさこじぞう（岩崎京子），十二支のはじまり（谷真介），泣いた赤おに（浜田廣介））

ポプラ社　2014.4　284p　18cm　（ポプラポケット文庫）　700円
Ⓘ978-4-591-13916-5　Ⓝ913.68

『齋藤孝の親子で読む国語教科書 1年生』
齋藤孝著

目次 タヌキのじてんしゃ（東君平），おおきなかぶ（トルストイ），サラダでげんき（角野栄子），いなばの白うさぎ（福永武彦），しましま（森山京），はじめは「や！」（香山美子），まのいいりょうし（稲田和子，筒井悦子），ゆうひのしずく（あまんきみこ），だってだってのおばあさん（佐野洋子），ろくべえまってろよ（灰谷健次郎）

内容 新しい国語の教科書を習う前に、親子で物語について語り合おう！1年生のための、楽しく、かなしく、心動かされる物語を掲載。齋藤孝のあたたかい解説を味わうことで、新しい読書の世界へのとびらが開きます。

ポプラ社　2011.3　138p　21cm　1000円
Ⓘ978-4-591-12285-3　Ⓝ817.5

〈わたしのかさはそらのいろ〉

(東書)「あたらしいこくご 一上」 2015

『わたしのかさはそらのいろ』

あまんきみこさく，垂石眞子え

内容 お母さんと傘屋さんに来た女の子は、青い傘を買ってもらいました。「だって、はれたひのそらのいろよ」と女の子。青い傘を広げると、まるで青空の下にいるようです。「わたしのかさはそらのいろあめのなかでもいいてんき」と歌いながら歩いていくと、動物たちが「いーれて」と言いながら次々と傘のなかにとびこんできました。やがて青い傘はずんずん大きくなり、不思議なファンタジーの世界が広がります。

福音館書店　2006.3（初版 2015.4）　31p　27cm　（こどものとも絵本）　800円
Ⓘ978-4-8340-8165-7　Ⓝ726.6

安房 直子　　あわ なおこ

〈月よに〉

(学図)「みんなとまなぶ しょうがっこうこくご 一ねん上」 2011, 2015, 2020

『つきよに』

安房直子作，南塚直子絵

内容 つきよに、ねずみの子どもが、ふしぎなものをひろいました。白くて、四角くて、いいにおいのするものでした。ねずみの家のなかは花のにおいでいっぱいになりました。表題作のほか、短編4編を収録。

岩崎書店　1995.4　85p　22×19cm　（日本の名作童話 20）　1500円
Ⓘ4-265-03770-4　Ⓝ913.68

『教科書にでてくるお話 1年生』

西本鶏介監修

目次 どうぞのいす（香山美子），ぴかぴかのウーフ（神沢利子），おおきなかぶ（トルストイ），おむすびころりん（西本鶏介），てがみ（森山京），しましま（森山京），はじめは「や!」（香山美子），つきよに（安房直子），たぬきのいとぐるま（木暮正夫），ねずみのすもう（大川悦生），1ねん1くみ1ばんワル（後藤竜二）

内容 現在使われている各社の国語教科書に掲載または紹介されている作品ばかりを集めたアンソロジーです。長く読みつがれている名作、心あたたまるお話、おもしろくて元気がでるお話など、すばらしい作品がいっぱい。作品の表記は原典に忠実にし、全文を掲載しています。教科書では気づかなかった作品の魅力を、新たに発見できるかもしれません。小学校初・中級から。

ポプラ社　2006.3　190p　18cm　（ポプラポケット文庫）　570円
Ⓘ4-591-09167-8　Ⓝ913.68

いけだ もとこ

〈やまでじゃんけん〉

（教出）「ひろがることば しょうがくこくご 一下」 2011

『ゆびのおへそ―池田もと子童謡集』

池田もと子著

目次 1 あられのぼうや（たんぽぽさん，ばっちんつめきり，はねはねよん ほか），2 ゆびのおへそ（おもち，あおむし，せっけん ほか），3 さあはるですよ（さあはるですよ，あめとなかよし，みずやり ほか）

内容 だいすきな おばあちゃんのて どのゆびのおへそも わらってる くちゃくちゃのかおして わらってる - 幼児の澄んだまなざし、はずむような感性のきらめきが、リアリティを持って描かれた童謡集。

てらいんく　2006.8　81p　22×19cm　（子ども 詩のポケット 18）　1200円
Ⓘ4-925108-82-4　Ⓝ911.58

『子どもへの詩の花束』

子どもへの詩の花束編集委員会著

目次 低学年（かもつれっしゃ（有馬敲），ほし / ゆうひとおかあさん（矢崎節夫），すずむしさんときりんさん / つららきららら（本郷健一），しいの実（さ

わださちこ）ほか），中学年（しーん（谷川俊太郎），なみ／はつこい（内田麟太郎），赤とんぼ（永窪綾子），空／羽根（峰松晶子）ほか），高学年（今日からはじまる（高丸もと子），さりさりと雪の降る日／火事（山本なおこ），準備（高階杞一），おうち（藤井則行）ほか）

内容 面白い詩、楽しい詩、ちょっぴりこわい詩。子どもたちの未来へ贈る103の詩の花束。

竹林館　2016.11　159p　18×21cm　1800円
Ⓘ978-4-86000-347-0　Ⓝ911.568

石井 睦美　　いしい むつみ

〈わたしはおねえさん〉

(光村)「こくご 赤とんぼ 二下」 2011, 2015, 2020

『すみれちゃん』〔関連図書〕

石井睦美作，黒井健絵

内容 すみれちゃんは「すみれ」っていうなまえよりほんとうはフローレンスってなまえの方がよかったなあってなやんでいます。そんなすみれちゃんに大事件が…。読んでもらうなら4才から、一人で読むなら6才から。

偕成社　2005.12　138p　21cm　1000円
Ⓘ4-03-345270-2　Ⓝ913.6

『すみれちゃんは一年生』〔関連図書〕

石井睦美作，黒井健絵

目次 すみれちゃんは一年生，すみれ色のランドセル，お花見お花見，三人のひみつ，おたんじょうびのプレゼント，かりんちゃんのいたずら，大きい小さいおねえさん

内容 すみれちゃんは一年生になりました。ランドセルの色はもちろんすみれ色です。すみれちゃんはうれしくてしかたありません。大きなおねえさんになったからよるもおそくまでおきていていいのです。かわいいいもうとのかりんちゃんは幼稚園。かりんちゃんのことをおもうとちょっとゆううつなすみれ

ちゃんです。とってもおしゃれでおしゃまな女の子すみれちゃんが一年生になり、パワーもおしゃま度もばくはつ！読んでもらうなら４才から、一人でよむなら６才から。

偕成社　2007.12　151p　21cm　1000円
Ⓘ978-4-03-345290-6　Ⓝ913.6

『すみれちゃんのあついなつ』〔関連図書〕
石井睦美作，黒井健絵

内容「こたえのでないことなどたくさんある。なぜならそれは、世界がなぞにみちているからだ。」これは、すみれちゃんがついこのあいだよんだ本のなかにかかれていたことばでした。なんだかかっこいいので、たいせつなノートにかきうつしました。ものおもうすみれちゃんなのに、ママは、かりんちゃんのせわばかりたのみます。「やってられない！」すみれちゃんは家出をします！おしゃれでおしゃまなすみれちゃんが二年生になりました。小学校低学年から。

偕成社　2009.7　138p　21cm　（わたしはすみれシリーズ）　1000円
Ⓘ978-4-03-345320-0　Ⓝ913.6

『すみれちゃんのすてきなプレゼント』〔関連図書〕
石井睦美作，黒井健絵

内容 十二月はクリスマスの月。なんだかわくわくします。どうして十二月ってこんなに毎日がとくべつでわくわくするのでしょう！ママがアドベントカレンダーをかべにかざってくれました。クリスマスの日まで毎日にとびらがついていてあけるとかわいいプレゼントの絵がかいてある十二月だけのとくべつなカレンダーです。すみれちゃんも小学三年生。妹のかりんちゃんはあいかわらずすぐに泣くので、なやみのたねですが、それでもおねえさんのきぶんってものがわかってきたすみれちゃんです。小学校低学年から。

偕成社　2011.12　130p　21cm　1000円
Ⓘ978-4-03-345340-8　Ⓝ913.6

石崎 洋司　いしざき ひろし

〈花さかじいさん〉

（東書）「あたらしいこくご 一下」 2015, 2020, 2024

『はなさかじいさん―よみきかせ日本昔話 春の巻』
石崎洋司文，松成真理子絵

目次 はなさかじいさん，みるなのくら

内容 ここほれ、わんわん。はたらきもののじいさまとばあさまがたいせつにそだてたいぬのシロは、じいさまとばあさまにたくさんのたからものをおくりました。5・6歳から。

講談社 2012.2 1冊 27×22cm （講談社の創作絵本） 1200円
Ⓘ978-4-06-132500-5 Ⓝ913.6

石津 ちひろ　いしず ちひろ

〈あした〉

（光村）「国語 あおぞら 三下」 2020, 2024

『あしたのあたしはあたらしいあたし』

石津ちひろ詩，大橋歩絵

目次 あした（あした，かわるこころ，ゆきがふる ほか），そらのコップ（ひかりのうみ，まんまるめがね，うめのみ ほか），公園で（さくら，ポプラなみき，いつもの… ほか），ことばあそび（これなあに（アナグラム1），こばと（はやくちことば1），みきのとり ほか）

内容 声に出して読んでみて…心も体も、ステップ、スキップ、スマイル。ことばの魔術師、石津ちひろ第一詩集。

理論社 2002.10 79p 19cm 1200円
Ⓘ4-652-07721-1 Ⓝ911.56

伊地知 英信　いじち えいしん

〈めだかのぼうけん〉

（学図）「みんなとまなぶ しょうがっこうこくご 一ねん下」 2015, 2020

『めだかのぼうけん』〔関連図書〕

渡辺昌和写真，伊地知英信文

内容 めだかがぼうけんをすることをしってる？それは、めだかがいきつづけるための、いのちがけのぼうけん。みぢかにあるたんぼでくらす

めだかのぼうけんのひみつをみにいこう。

ポプラ社　2007.4　35p　21×26cm　（ふしぎいっぱい写真絵本 6）　1200 円
Ⓘ978-4-591-09735-9　Ⓝ487.71

稲田 和子　いなだ かずこ

〈まのいいりょうし〉

（光村）「こくご ともだち 一下」 2011, 2015

『子どもに語る 日本の昔話 3』

稲田和子，筒井悦子著

目次 うさぎとひきのもち争い，はなれた小僧さま，ねずみ浄土，なら梨とり，三つのねがい，天福地福，かちかち山，足折れつばめ，食わず女房，運定めの話，とりつこうか ひっつこうか，五分次郎，おっぽの釣り，和尚と小僧，桃太郎，まのいいりょうし，天人女房，おおみそかの火，手なし娘，干支のはじまり，若返りの水，絵姿女房，宝化け物，団子むこ，長い話・短い話

内容 日本の昔話の研究者とストーリーテリングのベテランが、協力して練り上げた、読みやすく、聞いておもしろい昔話集。自分で読むなら小学 2、3 年～。

こぐま社　1996.8　188p　18×14cm　1648 円
Ⓘ4-7721-9022-8　Ⓝ913.6

『国語教科書にでてくる物語 1 年生・2 年生』

齋藤孝著

目次 1 年生（タヌキのじてんしゃ（東君平），おおきなかぶ（トルストイ），サラダでげんき（角野栄子），いなばの白うさぎ（福永武彦），しましま（森山京），はじめは「や!」（香山美子），まのいいりょうし（稲田和子・筒井悦子），ゆうひのしずく（あまんきみこ），だってだってのおばあさん（佐野洋子），ろくべえまってろよ（灰谷健次郎），2 年生（ちょうちょだけになぜなくの（神沢利子），きいろいばけつ（森山京），三まいのおふだ（瀬田貞二），にゃーご（宮西達也），きつねのおきゃくさま（あまんきみこ），スーホの白い馬（大塚勇三），かさこじぞう（岩崎京子），十二支のはじまり（谷真介），泣いた赤おに（浜田廣介））

ポプラ社　2014.4　284p　18cm　（ポプラポケット文庫）　700 円
Ⓘ978-4-591-13916-5　Ⓝ913.68

『齋藤孝の親子で読む国語教科書 1年生』

齋藤孝著

目次 タヌキのじてんしゃ（東君平），おおきなかぶ（トルストイ），サラダでげんき（角野栄子），いなばの白うさぎ（福永武彦），しましま（森山京），はじめは「や!」（香山美子），まのいいりょうし（稲田和子，筒井悦子），ゆうひのしずく（あまんきみこ），だってだってのおばあさん（佐野洋子），ろくべえまってろよ（灰谷健次郎）

内容 新しい国語の教科書を習う前に、親子で物語について語り合おう！1年生のための、楽しく、かなしく、心動かされる物語を掲載。齋藤孝のあたたかい解説を味わうことで、新しい読書の世界へのとびらが開きます。

ポプラ社　2011.3　138p　21cm　1000円

Ⓘ978-4-591-12285-3　Ⓝ817.5

今江 祥智　いまえ よしとも

〈いろはにほへと〉

（光村）「国語 わかば 三上」 2011

『いろはにほへと』

今江祥智文，長谷川義史絵

内容 かっちゃんはその日、はじめて文字を習いました。いろはにほへとの七つです。かっちゃんはうれしくていろはにほへとをくりかえしながら道を歩いていると…。

BL出版　2004.9　32p　26×21cm　1300円

Ⓘ4-7764-0080-4　Ⓝ726.6

『今江祥智の本 第13巻 《童話集 2》』

今江祥智著

目次 いろはにほへと．きえたとのさま．青いてんぐ．石の町．おれはオニだぞ．風まかせ．神さまによろしく．紙人形．すみれの花さくころ．とのさまはくいしんぼう．ほうき．ぼうしのかぶりかた．とおくへいきたい．小さな花．下町の太陽．いつでもゆめを．さびたナイフ．星はなんでもしっている．港が見える丘．花はどこへいった．黒い花びら．解説 田島征三著

理論社　1980.5　264p　22cm　1200円
Ⓝ913.8

『ぽけっとの海―今江祥智ショートファンタジー』

今江祥智著，和田誠絵

目次 熊ちゃん，おにごっこだいすき，いろはにほへと，かくれんぼトランプ，ヒナギクをたべないで，紙人形，ほんとうの話，なみにゆられて，馬車にのった山ネコ，とおくへいきたい，木馬，女の子とライオン，きりの村，歩きながら，ぽけっとの海

内容 きらめく小さなファンタジーがぎっしり、今江祥智の小宇宙。こわい話、ふしぎな話、どきどきする話、わくわくする話。ほろりとする話、くすりとくる話。

理論社　2004.11　197p　19cm　1200円
Ⓘ4-652-02183-6　Ⓝ913.6

『今江祥智コレクション』

今江祥智著

目次 1 長編童話・ズボンじるしのクマ，2 童話（トトンぎつね，きりの村 ほか），3 短編（掏る男，しばてんおりょう ほか），4 エッセイ（花田清輝―意地悪じいさんと子ども，谷川俊太郎ノート―気になるあいつ ほか），5 評論（青い大きな海がひろがってくる，もう一つの青春 ほか），絵本・あのこ，6 小説・食べるぞ食べるぞ，7「文学的・私索引」

内容 本書には、初めて書いた童話から、ごく新しい短編まで収められている。長いこと構想していた長編童話も、愉しみながら書いた中編小説も収められている。子供の本の横丁で暮し、編集者、教師としても生きてきた著者の意見やら思いもあるし、四十年間一緒に走り続けてきた仲間やら、好きな本の肖像もある。何冊もつくってきた絵本のなかで、とりわけ思い入れの深い一冊が、ほとんど元の形で収められてもいる。

原生林　2000.9　647p　21cm　4800円
Ⓘ4-87599-080-4　Ⓝ918.68

『物語 100、今江祥智』

今江祥智著

内容 30年程前、童話を初めて書いたあと、もしも童話作家になるのなら、せめて一月に一つ位は物語を書こうと秘かに決心しました。以来、だいたい決心通り書き続けていたら、いつのまにやら400程、物語を作っていました。本書はその中から好みのものをちょうど100篇集めた自選集であります。

理論社　1989.1　618p　21×16cm　3500円
Ⓘ4-652-04207-8　Ⓝ913.6

『国語教科書にでてくる物語 3年生・4年生』

斎藤孝著

目次 3年生（いろはにほへと（今江祥智），のらねこ（三木卓），つりばしわたれ（長崎源之助），ちいちゃんのかげおくり（あまんきみこ），きつねのおきゃくさま（あまんきみこ），ききみみずきん（木下順二），ワニのおじいさんのたからもの（川崎洋），さんねん峠（李錦玉），サーカスのライオン（川村たかし），モチモチの木（斎藤隆介），手ぶくろを買いに（新美南吉）），4年生（やいトカゲ（舟崎靖子），白いぼうし（あまんきみこ），木竜うるし（木下順二），こわれた1000の楽器（野呂昶），一つの花（今西祐行），りんご畑の九月（後藤竜二），ごんぎつね（新美南吉），せかいいちうつくしいぼくの村（小林豊），寿限無（興津要），初雪のふる日（安房直子））

内容 国語教科書にでてくるお話を、物語を楽しむためのヒントとなる解説を付けて紹介。3年生・4年生は、「ききみみずきん」「手ぶくろを買いに」「白いぼうし」「寿限無」などを収録する。

ポプラ社　2014.4　294p　18cm　（ポプラポケット文庫）　700円
Ⓘ978-4-591-13917-2　Ⓝ913.68

『教科書にでてくるお話 4年生』

西本鶏介監修

目次 いろはにほへと（今江祥智），ポレポレ（西村まり子），やいトカゲ（舟崎靖子），白いぼうし（あまんきみこ），りんご畑の九月（後藤竜二），るすばん（川村たかし），せかいいちうつくしいぼくの村（小林豊），こわれた1000の楽器（野呂昶），のれたよ、のれたよ、自転車のれたよ（井上美由紀），夏のわすれもの（福田岩緒），ならなしとり（峠兵太），寿限無（西本鶏介），ごんぎつね（新美南吉），一つの花（今西祐行）

内容 現在使われている各社の国語教科書に掲載または紹介されている作品ばかりを集めたアンソロジーです。長く読みつがれている名作、心あたたまるお話、おもしろくて元気がでるお話など、すばらしい作品がいっぱい。作品の表記は原典に忠実にし、全文を掲載しています。教科書では気づかなかった作品の魅力を、新たに発見できるかもしれません。小学校中学年から。

ポプラ社　2006.3　206p　18cm　（ポプラポケット文庫）　570円
Ⓘ4-591-09170-8　Ⓝ913.68

『齋藤孝の親子で読む国語教科書 3年生』

齋藤孝著

目次 いろはにほへと（今江祥智），のらねこ（三木卓），つりばしわたれ（長崎源之助），ちいちゃんのかげおくり（あまんきみこ），ききみみずきん（木下順二），ワニのおじいさんのたからもの（川崎洋），さんねん峠（李錦玉），サーカスのライオン（川村たかし），モチモチの木（斎藤隆介），手ぶくろを買いに（新美南吉）

内容 新しい国語の教科書を習う前に、親子で物語について語り合おう！3年生のための、楽しく、かなしく、心動かされる物語を掲載。齋藤孝のあたたかい解説を味わうことで、新しい読書の世界へのとびらが開きます。

ポプラ社　2011.3　142p　21cm　1000円
Ⓘ978-4-591-12287-7　Ⓝ817.5

『よんでおきたい 1 ねんせいのよみもの』

長崎源之助監修

目次 かえるの王さま，コンクリートのくつあと，なみだおに，ロボットたいちょう，きいろいばけつ，いろはにほへと，わかかえりの水，金いろのつののしか，ぽとんぽとんはなんのおと

内容 イソップの「かえるの王さま」、あまんきみこの「なみだおに」、森山京の「きいろいばけつ」など、学校の先生が選んだ名作9作品を収録。教科書の発展として、読んでおきたい珠玉の作品集。

学校図書　1997.11　128p　21cm　648円
Ⓘ4-7625-1943-X　Ⓝ913.68

〈うみへのながいたび〉

（教出）「ひろがることば しょうがくこくご 一下」 2011, 2015, 2020, 2024

『月ようびのどうわ』

日本児童文学者協会編

目次 どうぞのいす（香山美子），春のくまたち（神沢利子），うみへのながいたび（今江祥智），コスモス（森山京），すずめのてがみ（神戸淳吉），天にのぼったおけや（川村たかし），サラダでげんき（角野栄子），ハモニカじま（与田準一）

国土社　1998.3　99p　21cm　（よんでみようよ教科書のどうわ 1 しゅうかん 1）
1200円
Ⓘ4-337-09601-9　Ⓝ913

岩崎 京子　いわさき きょうこ

〈かさこじぞう〉

（学図）「みんなと学ぶ 小学校こくご 二年下」 2011, 2015, 2020 （教出）「ひろがることば 小学国語 二下」 2011, 2015, 2020, 2024 （三省堂）「小学生のこくご 二年」 2011, 2015 （東書）「新しい国語 二下」 2011, 2015, 2020, 2024

『かさこじぞう』

岩崎京子著，新井五郎画

内容 元日の夜あけまえ、そりを引いて、じいさま、ばあさまの家へくるかさをかむった六地蔵さまの話。心あたたまる民話。

ポプラ社　1967.5　1冊　27cm　（むかしむかし絵本 3）　1000円

Ⓘ4-591-00376-0　Ⓝ913.6

『日本昔ばなし かさこじぞう』

岩崎京子文，井上洋介絵

目次 かさこじぞう，ものいうかめ，わらしべ者長，ききみみずきん，たからのげた，田うえじぞう，正月がみさん，にじのむすめ，たにし長者，ねずみのよめいり，おむすびころりん，こしおれすずめ，すずめのあだうち，ししときつね，ふるやのもり，はぬけえんま，春らんまんたぬきのかっせん

内容 大みそか、ふぶきのなか、じいさまは売れなかったかさを、じぞうさまにかぶせました。ところが、じぞうさまの数は六人、かさは五つ。どうしてもたりません。そこで、じいさまは…。珠玉の日本昔ばなし、表題作ほか十六編。小学校初・中級～。

ポプラ社　2006.2　204p　18cm　（ポプラポケット文庫）　570円

Ⓘ4-591-09118-X　Ⓝ388.1

『かさこじぞう』

岩崎京子著

ポプラ社　1978.7　205p　18cm　（ポプラ社文庫）　390円

『国語教科書にでてくる物語 1年生・2年生』

齋藤孝著

目次 1年生(タヌキのじてんしゃ(東君平), おおきなかぶ(トルストイ), サラダでげんき(角野栄子), いなばの白うさぎ(福永武彦), しましま(森山京), はじめは「や!」(香山美子), まのいいりょうし(稲田和子・筒井悦子), ゆうひのしずく(あまんきみこ), だってだってのおばあさん(佐野洋子), ろくべえまってろよ(灰谷健次郎), 2年生(ちょうちょだけになぜなくの(神沢利子), きいろいばけつ(森山京), 三まいのおふだ(瀬田貞二), にゃーご(宮西達也), きつねのおきゃくさま(あまんきみこ), スーホの白い馬(大塚勇三), かさこじぞう(岩崎京子), 十二支のはじまり(谷真介), 泣いた赤おに(浜田廣介))

ポプラ社 2014.4 284p 18cm (ポプラポケット文庫) 700円
Ⓘ978-4-591-13916-5 Ⓝ913.68

『齋藤孝の親子で読む国語教科書 2年生』

斎藤孝著

目次 ちょうちょだけになぜなくの(神沢利子), きいろいばけつ(森山京), 三まいのおふだ(瀬田貞二), にゃーご(宮西達也), きつねのおきゃくさま(あまんきみこ), スーホの白い馬(大塚勇三), かさこじぞう(岩崎京子), 十二支のはじまり(谷真介), 泣いた赤おに(浜田廣介)

内容 新しい国語の教科書を習う前に、親子で物語について語り合おう!2年生のための、楽しく、かなしく、心動かされる物語を掲載。齋藤孝のあたたかい解説を味わうことで、新しい読書の世界へのとびらが開きます。

ポプラ社 2011.3 142p 21cm 1000円
Ⓘ978-4-591-12286-0 Ⓝ817.5

『かもの卵』

岩崎京子作, 長野ヒデ子絵

内容 月一回の風景写生の日、エントン池に出かけたぼくたちはかもの巣と卵を見つけた。巣と卵を守るため「かも当番」を決めて毎日見張りに出かけるが、ある日の大雨で巣が水に沈みそうになっているのを見て、浮き巣を作る。

岩崎書店 1995.4 85p 22×19cm (日本の名作童話 7) 1500円
Ⓘ4-265-03757-7 Ⓝ913.68

『くじらぐもからチックタックまで』

石川文子編

目次 くじらぐも(中川李枝子), チックタック(千葉省三), 小さい白いにわとり((ウクライナの民話) 光村図書出版編集部編), おおきなかぶ(内田莉莎子訳, A.トルストイ再話), かさこじぞう(岩崎京子), ハナイッパイになあれ（松谷みよ子），おてがみ（三木卓訳，アーノルド・ローベル原作），スイミー（谷川俊太郎訳，レオ＝レオニ原作），馬頭琴（(モンゴルの民話）君島久子訳），おじさんのかさ（佐野洋子），花とうぐいす（浜田広介），いちごつみ（神沢利子），おかあさんおめでとう（『くまの子ウーフ』より）（神沢利子），きつねのおきゃくさま（あまんきみこ），きつねの子のひろった定期券（松谷みよ子），きつねの窓（安房直子），やまなし（宮澤賢治），最後の授業（桜田佐訳 アルフォンス・ドーデ原作），譲り葉（河井酔茗），雨ニモマケズ（宮澤賢治）

内容 昭和40年から現在までこくごの教科書のおはなしベスト20。「もう一度読みたい」リクエスト作品と、採用頻度の高い作品で作りました。教科書でしか読めなかった名作『くじらぐも』が、初めて教科書から飛び出しました。

フロネーシス桜蔭社，メディアパル〔発売〕 2008.11 222p 19cm 1400円
Ⓘ978-4-89610-746-3 Ⓝ908.3

ウイルヘルム，ハンス

〈ずうっと、ずっと、大すきだよ〉

（光村）「こくご ともだち 一下」 2011, 2015, 2020, 2024

『ずーっと ずっとだいすきだよ』

ハンス・ウィルヘルム絵・文，久山太市訳

内容 エルフィーとぼくは、いっしょに大きくなった。年月がたって、ぼくの背がのびる一方で、愛するエルフィーはふとって動作もにぶくなっていった。ある朝、目がさめると、エルフィーが死んでいた。深い悲しみにくれながらも、ぼくには、ひとつ、なぐさめが、あった。それは…

評論社 1988.11 1冊 19×24cm
（児童図書館・絵本の部屋） 980円
Ⓘ4-566-00276-4

内田 莉莎子　うちだ りさこ

〈おおきなかぶ〉

(学図)「みんなとまなぶ しょうがっこうこくご 一ねん上」 2011, 2015, 2020 (教出)「ひろがることば しょうがくこくご 一上」 2011, 2015, 2020, 2024 (三省堂)「しょうがくせいのこくご 一年上」 2011, 2015 (東書)「あたらしいこくご 一上」 2011, 2015, 2020, 2024

『おおきなかぶ―ロシア民話』

トルストイ著，内田莉莎子訳，佐藤忠良画

内容 サンケイ児童出版文化賞大賞受賞作品。読んであげるなら３才～。自分で読むなら小学校初級むき。

福音館書店　1962.5（初版 1966.6）27p　20×27cm　（こどものとも傑作集）　743 円
Ⓘ4-8340-0062-1　Ⓝ983

『国語教科書にでてくる物語 1 年生・2 年生』

齋藤孝著

目次 １年生（タヌキのじてんしゃ（東君平），おおきなかぶ（トルストイ），サラダでげんき（角野栄子），いなばの白うさぎ（福永武彦），しましま（森山京），はじめは「や！」（香山美子），まのいいりょうし（稲田和子・筒井悦子），ゆうひのしずく（あまんきみこ），だってだってのおばあさん（佐野洋子），ろくべえまってろよ（灰谷健次郎），２年生（ちょうちょだけになぜなくの（神沢利子），きいろいばけつ（森山京），三まいのおふだ（瀬田貞二），にゃーご（宮西達也），きつねのおきゃくさま（あまんきみこ），スーホの白い馬（大塚勇三），かさこじぞう（岩崎京子），十二支のはじまり（谷真介），泣いた赤おに（浜田廣介））

ポプラ社　2014.4　284p　18cm　（ポプラポケット文庫）　700 円
Ⓘ978-4-591-13916-5　Ⓝ913.68

『齋藤孝の親子で読む国語教科書 1 年生』

齋藤孝著

目次 タヌキのじてんしゃ（東君平），おおきなかぶ（トルストイ），サラダでげんき（角野栄子），いなばの白うさぎ（福永武彦），しましま（森山京），はじめは「や！」（香山美子），まのいいりょうし（稲田和子，筒井悦子），ゆう

ひのしずく（あまんきみこ），だってだってのおばあさん（佐野洋子），ろくべえまってろよ（灰谷健次郎）

内容 新しい国語の教科書を習う前に、親子で物語について語り合おう！1年生のための、楽しく、かなしく、心動かされる物語を掲載。齋藤孝のあたたかい解説を味わうことで、新しい読書の世界へのとびらが開きます。

ポプラ社　2011.3　138p　21cm　1000円
Ⓘ978-4-591-12285-3　Ⓝ817.5

『ロシアの昔話』

アレクサンドル・H.アファナーシエフ再話，内田莉莎子編・訳，タチヤーナ・マブリナ画

目次 魔法の馬，つるとあおさぎ，うさぎのなみだ，まぬけなおおかみ，ババヤガーの白い鳥，かえるの王女，マーシャとくま，空をとぶ船，小鳥のことば，かますのいいつけ，白いかも，イワン王子とはいいろおおかみ，おおきなかぶ，雪むすめ，動物たちの冬ごもり，ねこときつね，魔法の指輪，おんどりとまめ，金のとさかのおんどりと魔法のひきうす，金の魚，魔女と太陽の妹，はいいろおでことやぎとひつじ，魔法のシャツ，銅の国、銀の国、金の国，おおかみと子やぎたち，海のマリア姫，ねことおんどり，海の王とかしこいワシリーサ，牛の子イワン，うそつきやぎ，魔法をかけられた王女，ふたりのイワン，どこかしらんが、そこへ行け、なにかしらんが、それをもってこい！

内容 「魔法の馬」から「マーシャとくま」や「おおきなかぶ」まで、全三十三編。個性あふれる動物が活躍するお話、素朴で単純なお話、ふしぎな魔法にみちたお話…。どのお話にも、ロシアの人々の豊かな知恵や勇気やユーモアがいっぱい。世界的な絵本画家マブリナの挿絵が魅力的です。小学校中級以上。

福音館書店　2002.6　414p　18cm　（福音館文庫）　950円
Ⓘ4-8340-1807-5　Ⓝ983

『くじらぐもからチックタックまで』

石川文子編

目次 くじらぐも（中川李枝子），チックタック（千葉省三），小さい白いにわとり（（ウクライナの民話）光村図書出版編集部編），おおきなかぶ（内田莉莎子訳，A.トルストイ再話），かさこじぞう（岩崎京子），ハナイッパイになあれ（松谷みよ子），おてがみ（三木卓訳，アーノルド・ローベル原作），スイミー（谷川俊太郎訳，レオ＝レオニ原作），馬頭琴（（モンゴルの民話）君島久子訳），おじさんのかさ（佐野洋子），花とうぐいす（浜田広介），いちごつみ（神沢利子），おかあさんおめでとう（『くまの子ウーフ』より）（神沢利子），きつねのおきゃくさま（あまんきみこ），きつねの子のひろった定期券（松谷みよ子），きつねの窓（安房直子），やまなし（宮澤賢治），最後の授業（桜田佐訳 アルフォンス・ドーデ原作），譲り葉（河井酔茗），雨ニモマケズ（宮澤賢治）

内容 昭和40年から現在までこくごの教科書のおはなしベスト20。「もう一度読みたい」リクエスト作品と、採用頻度の高い作品で作りました。教科書でしか読めなかった名作『くじらぐも』が、初めて教科書から飛び出しました。

フロネーシス桜蔭社，メディアパル〔発売〕 2008.11 222p 19cm 1400円
Ⓘ978-4-89610-746-3 Ⓝ908.3

〈手ぶくろ〉

（学図）「みんなとまなぶ しょうがっこうこくご 一ねん下」 2015

『てぶくろ―ウクライナ民話』

エウゲーニー・M.ラチョフ画，うちだりさこ訳

内容 おじいさんが森の中に手袋を片方落としてしまいます。雪の上に落ちていた手袋にネズミが住みこみました。そこへ、カエルやウサギやキツネが次つぎやってきて、「わたしもいれて」「ぼくもいれて」と仲間入り。手袋はその度に少しずつ大きくなっていき、今にもはじけそう……。最後には大きなクマまでやって来ましたよ。手袋の中はもう満員！ そこにおじいさんが手袋を探しにもどってきました。さあ、いったいどうなるのでしょうか？

福音館書店 1965.11（初版 1982.10） 15p 28cm（世界傑作絵本シリーズ・ロシアの絵本） 800円
Ⓘ4-8340-0050-8 Ⓝ989.43

『てぶくろ―ウクライナ民話』

エウゲーニー・M.ラチョフ絵，うちだりさこ訳

福音館書店 2020.1 15p 48×39cm（傑作絵本劇場・ロシアの絵本） 9600円
Ⓘ978-4-8340-8529-7 Ⓝ726.6

内田 麟太郎　うちだ りんたろう

〈あしたも友だち〉

（東書）「新しい国語 二上」 2011, 2015

『あしたもともだち』

内田麟太郎作，降矢なな絵

内容 キツネとオオカミはともだちどうし。だけど、オオカミがちかごろへんなのです。なんだか､キツネをさけてるみたい。「どうしたの？オオカミさん。ぼくたち、ずっとともだちだよね⁉」。

偕成社　2000.10　31p　24×20cm　（おれたち、ともだち！3）　1000円
Ⓘ4-03-232030-6　Ⓝ913.6

『ともだちや』〔シリーズ〕

内田麟太郎作，降矢なな絵

内容 ある日、キツネは「友だち屋さん」を始めることを思いつきました。1時間100円で友だちになってあげるのです。森で一番のさびしんぼうのキツネは友だちを上手に作れるでしょうか。

偕成社　1998.1　31p　25cm　（おれたち、ともだち！1）　1000円
Ⓘ4-03-204890-8　Ⓝ913.6

『ともだちくるかな』〔シリーズ〕

内田麟太郎作，降矢なな絵

内容「たのしいぜ、たのしいぜ、きょうはとってもたのしいぜ」オオカミが歌っています。きょうはだれかが必ずやってくる日。でも､だーれもきません。どうして俺はこんなにさびしいんたろう、と悩んだすえにオオカミは…。

偕成社　1999.2　31p　25cm　（おれたち、ともだち！2）　1000円
Ⓘ4-03-204920-3　Ⓝ913.6

『ごめんねともだち』〔シリーズ〕

内田麟太郎作，降矢なな絵

内容 オオカミは、仲良しのキツネとはじめてのおおげんか。仲直りがしたいけど、あの言葉がなかなか言えないのです。たったひとことなんだけどな。「ご、め、ん、ね」って。

偕成社　2001.3　31p　25cm　（おれたち、ともだち！4）　1000円
Ⓘ4-03-232050-0　Ⓝ913.6

『ともだちひきとりや』〔シリーズ〕

内田麟太郎作，降矢なな絵

内容 えー、いらないともだちはいませんか？「ともだちひきとりや」ことキツネとオオカミがそんなともだちをひきとりますよ！ひきとられたともだちのゆくえは…ひみつです。「おれたち、ともだち！」絵本第5弾。

偕成社　2002.2　31p　（おれたち、ともだち！5）　1000円
Ⓘ4-03-232080-2　Ⓝ913.6

『ありがとうともだち』〔シリーズ〕

内田麟太郎作，降矢なな絵

内容 カジキマグロを釣ってあげる約束をして、キツネと海釣りに出かけたオオカミは、はりきりすぎて大失敗。がっかりさせたはずなのに、キツネが言った言葉とは？「おれたち、ともだち！」シリーズ第6弾。

偕成社　2003.6　31p　25cm　（おれたち、ともだち！6）　1000円
Ⓘ4-03-232120-5　Ⓝ913.6

『あいつもともだち』〔シリーズ〕

内田麟太郎作，降矢なな絵

内容 ぼく、キツネ。オオカミさんとともだちです。イタチさんも、クマさんも、ヤマネさんもともだちです。じゃあ、あいつは？あいつもともだちなのかな…？「おれたち、ともだち！」シリーズ第7弾。

偕成社　2004.10　31p　25cm　（おれたち、ともだち！7）　1000円
Ⓘ4-03-232150-7　Ⓝ913.6

『ともだちおまじない』〔シリーズ〕

内田麟太郎作，降矢なな絵

内容 ともだちおまじないって知ってる？ともだち欲しい人にだけ効く、楽しくてちょいと素敵なおまじない。5・7・5のリズムにのって、となえてみたら…。あら不思議、ともだちたちまちできちゃうかもよ?!

偕成社　2006.11　47p　25cm　（おれたち、ともだち！8）　1200円
Ⓘ4-03-232220-1　Ⓝ913.6

『きになるともだち』〔シリーズ〕

内田麟太郎作，降矢なな絵

内容 キツネが連れて来た新しいともだち、ヤマネ。オオカミはひと目見た途端、可愛いヤマネのことが気になって仕方ない。ともだちはともだちでも「きになるともだち」って何だろう？「おれたち、ともだち！」シリーズ第9弾。

偕成社　2008.10　31p　25cm　（おれたち、ともだち！9）　1000円
Ⓘ978-4-03-232300-9　Ⓝ913.6

『ともだちごっこ』〔シリーズ〕

内田麟太郎作，降矢なな絵

内容 「明日からキツネくんはあたしだけのともだち！」それって何だかヘンだよね。ワガママ女の子テンとしてしまった約束にキツネは困ってしまい…。「おれたち、ともだち！」シリーズ第10弾。

偕成社　2010.3　31p　25cm　（おれたち、ともだち！10）　1000円
Ⓘ978-4-03-232360-3　Ⓝ913.6

『よろしくともだち』〔シリーズ〕

内田麟太郎作，降矢なな絵

内容 コダヌキはキツネたちと遊びたいのだけれど、オオカミが怖くてなかなか仲間に入れません。それを知ったオオカミは落ち込み、笑顔の練習をするのですが…。「おれたち、ともだち！」シリーズ第11弾。

偕成社　2012.5　31p　25cm　（おれたち、ともだち！11）　1000円
Ⓘ978-4-03-232300-9　Ⓝ913.6

『いつだってともだち』〔シリーズ〕

内田麟太郎作，降矢なな絵

内容 ともだちのオオカミばかりか、森じゅうのみんなから変な態度をとられたキツネは、ひとりぼっちになった気分。みんなは何を企てているのかな？「おれたち、ともだち!」シリーズ第12弾。

偕成社　2016.3　32p　25cm　（おれたち、ともだち !12）　1000円
Ⓘ978-4-03-232440-2　Ⓝ913.6

『さよならともだち』〔シリーズ〕

内田麟太郎作，降矢なな絵

内容 オオカミはきっと「さよならは、さびしいばかりじゃないんだぜ」と思っている。キツネにもちょっとそれがわかり…。「ともだちや」をはじめる前の、キツネとオオカミのおはなし。「おれたち、ともだち!」シリーズ第13弾。

偕成社　2018.3　31p　25cm　（おれたち、ともだち！13）　1000円
Ⓘ978-4-03-232580-5　Ⓝ913.6

『ともだちいっしゅうかん』〔シリーズ〕

内田麟太郎作，降矢なな絵

内容 月曜日にクマさんがきて、もじもじと小声で言った。「おれだって、おしゃれはできる?」「できますよ。ぼくにおかまかせ」…。リズムにのりキツネとともだちの愉快な1週間を歌う。「おれたち、ともだち!」シリーズの番外編。

偕成社　2021.4　31p　25cm　（おれたち、ともだち！14）　1200円
Ⓘ978-4-03-232300-9　Ⓝ913.6

〈なみ〉

(光村)「国語 あおぞら 三下」 2020, 2024

『うみがわらっている—内田麟太郎詩集』

内田麟太郎著，齋藤隆夫絵

内容 タヌキはタをぬいて ヌキになる マムシにくれてやった タというもじ マムシがいたあたりから タマムシがとんでいく-。動物を題材に、ことばあそびで描くユニークな詩の世界。

銀の鈴社 2000.12 95p 22cm (ジュニアポエム双書 143) 1200円
Ⓘ4-87786-143-2 Ⓝ911.56

〈みどり〉

(光村)「国語 わかば 三上」 2020, 2024

『まぜごはん』

内田麟太郎詩，長野ヒデ子絵

目次 おひさま，わらっているのは，ほっきょく，さびしいところ，つぶやいて，はらっぱ，たんぽぽ，青い山，ゆうやけ，しろいいえ〔ほか〕

銀の鈴社 2014.5 89p 21cm (ジュニアポエムシリーズ) 1200円
Ⓘ978-4-87786-237-4 Ⓝ911.568

大久保 テイ子 おおくぼ ていこ

〈じゃがいも〉

(光村)「国語 あおぞら 三下」 2011

『はたけの詩』

大久保テイ子詩，渡辺安芸夫絵

教育出版センター新社 1986.12 71p 22cm (ジュニア・ポエム双書) 1000円
Ⓘ4-7632-4250-4 Ⓝ911.56

〈ねこのこ〉

(光村)「こくご 赤とんぼ 二下」 2020, 2024

『おどる詩 あそぶ詩 きこえる詩』
はせみつこ編，飯野和好絵

目次 語彙集第八十五章（中江俊夫），じこしょうかい（まど・みちお），ちょっととって（はたなか・けいいち），なんてなく（はせみつこ），たいくつ（内田麟太郎），ドレミファかえうた（阪田寛夫），さきへすすまないかぞえうた（川崎洋），ないないづくし（谷川俊太郎），ようちえん（小林香菜子），おとうちゃん大好き（小沢たかゆき）〔ほか〕

内容 声に出して読んでごらん‼ほら、心がはずむ！体はおどる！そんな、とびっきりのアンソロジーできました。

冨山房インターナショナル　2015.4　159p　21cm　2200円
Ⓘ978-4-905194-92-7　Ⓝ91

大島 英太郎　おおしま えいたろう

〈鳥になったきょうりゅうの話〉
（光村）「国語 わかば 三上」 2020, 2024

『とりになったきょうりゅうのはなし　改訂版』
大島英太郎さく

内容 いまから6600まんねんほどまえのこと、ちきゅうのようすはおおきくかわり、きょうりゅうのなかまは、ほとんどしにたえてしまいました。ところが、いきのこったわずかなきょうりゅうは、とりにすがたをかえて、いまもいきているのです。きょうりゅうは、どのようにして、とりにすがたをかえたのでしょう？

福音館書店　2005.1（初版 2019.2）31p　26cm　（かがくのとも絵本）　900円
Ⓘ978-4-8340-8454-2　Ⓝ457.87

大塚 勇三　おおつか ゆうぞう

〈スーホの白い馬〉
（光村）「こくご 赤とんぼ 二下」 2011, 2015, 2024 「こくご たんぽぽ 二上」 2020

『スーホの白い馬―モンゴル民話』

大塚勇三著，赤羽末吉画

内容 貧しいけれど働き者の羊飼いの少年スーホ。草原で拾った白い子馬を一生懸命に育てるのだが…。少年と馬との悲しくも美しい民話。

福音館書店　1967.10　1冊　24×31cm
（日本傑作絵本シリーズ）　1236円
Ⓘ4-8340-0112-1　Ⓝ929.553

『齋藤孝の親子で読む国語教科書 2年生』

斎藤孝著

目次 ちょうちょだけになぜなくの（神沢利子），きいろいばけつ（森山京），三まいのおふだ（瀬田貞二），にゃーご（宮西達也），きつねのおきゃくさま（あまんきみこ），スーホの白い馬（大塚勇三），かさこじぞう（岩崎京子），十二支のはじまり（谷真介），泣いた赤おに（浜田廣介）

ポプラ社　2011.3　142p　21cm　1000円
Ⓘ978-4-591-12286-0　Ⓝ817.5

『国語教科書にでてくる物語 1年生・2年生』

齋藤孝著

目次 1年生（タヌキのじてんしゃ（東君平），おおきなかぶ（トルストイ），サラダでげんき（角野栄子），いなばの白うさぎ（福永武彦），しましま（森山京），はじめは「や!」（香山美子），まのいいりょうし（稲田和子・筒井悦子），ゆうひのしずく（あまんきみこ），だってだってのおばあさん（佐野洋子），ろくべえまってろよ（灰谷健次郎），2年生（ちょうちょだけになぜなくの（神沢利子），きいろいばけつ（森山京），三まいのおふだ（瀬田貞二），にゃーご（宮西達也），きつねのおきゃくさま（あまんきみこ），スーホの白い馬（大塚勇三），かさこじぞう（岩崎京子），十二支のはじまり（谷真介），泣いた赤おに（浜田廣介））

ポプラ社　2014.4　284p　18cm　（ポプラポケット文庫）　700円
Ⓘ978-4-591-13916-5　Ⓝ913.68

『もう一度読みたい 教科書の泣ける名作 再び』

学研教育出版編

目次 スーホのしろいうま，走れメロス，ベロ出しチョンマ，あかいろうそく，トロッコ，よだかの星，おこりじぞう，挨拶―原爆の写真によせて，少年の日の思い出，鼓くらべ，レモン哀歌，オツベルとぞう，高瀬舟，握手

内容 大人になった今だからこそ、主人公の気持ちや作者の思いが深く響く。涙が出るのは、あの頃の自分とはもう違うから。『スーホの白い馬』『走れメロス』など懐かしい作品を14篇収録。

学研教育出版，学研マーケティング〔発売〕 2014.12 222p 17×13cm 800円
Ⓘ978-4-05-406191-0 Ⓝ908.3

岡 信子　おか のぶこ

〈はなのみち〉

（光村）「こくご かざぐるま 一上」 2011, 2015, 2020, 2024

『はなのみち』
岡信子作，土田義晴絵

内容 教科書にのっているお話を絵本で読もう！光村図書発行の小学校１年生用教科書『こくご一上 かざぐるま』に載っている作品です。

岩崎書店 1998.1 23p 25×22cm
（えほん・ハートランド 19） 1300円
Ⓘ4-265-03449-7 Ⓝ913.6

岡田 淳　おかだ じゅん

〈消しゴムころりん〉

（教出）「ひろがる言葉 小学国語 三上」 2011

『ふしぎの時間割』
岡田淳作

目次 朝 五つめのおはようとはじめてのおはよう，１時間目 ピータイルねこ，２時間目 消しゴムころりん，３時間目 三時間目の魔法使い，４時間目 カレーライス三ばい，５時間目 石ころ，６時間目 夢みる力，放課後 もういちど走ってみたい，暗くなりかけて だれがチーズを食べたのか，夜 掃除用具戸棚

偕成社 1998.7 159p 21cm （偕成社おたのしみクラブ） 1000円
Ⓘ4-03-610120-X Ⓝ913.6

おかだ

〈ピータイルねこ〉

(三省堂)「小学生の国語 三年」 2011, 2015

『ふしぎの時間割』

岡田淳作

目次 朝 五つめのおはようとはじめてのおはよう, 1時間目 ピータイルねこ, 2時間目 消しゴムころりん, 3時間目 三時間目の魔法使い, 4時間目 カレーライス三ばい, 5時間目 石ころ, 6時間目 夢みる力, 放課後 もういちど走ってみたい, 暗くなりかけて だれがチーズを食べたのか, 夜 掃除用具戸棚

偕成社 1998.7 159p 21cm (偕成社おたのしみクラブ) 1000円

Ⓘ4-03-610120-X Ⓝ913.6

『日本の童話名作選 現代篇』

講談社文芸文庫編

目次 淋しいおさかな (別役実), 凧になったお母さん (野坂昭如), 桃次郎 (阪田寛夫), コジュケイ (舟崎克彦), はんぶんちょうだい (山下明生), 花がらもようの雨がさ (皿海達哉), 月売りの話 (竹下文子), ひろしのしょうばい (舟崎靖子), だれもしらない (灰谷健次郎), ぽたぽた (抄) (三木卓), おとうさんの庭 (三田村信行), ひょうのぼんやりおやすみをとる (角野栄子), まぼろしの町 (那須正幹), 仁王小路の鬼 (柏葉幸子), 電話がなっている (川島誠), 半魚人まで一週間 (矢玉四郎), 少年時代の画集 (森忠明), 絵はがき屋さん (池澤夏樹), くるぞくるぞ (内田麟太郎), 草之丞の話 (江國香織), 黒ばらさんと空からきた猫 (末吉暁子), 氷の上のひなたぼっこ (斉藤洋), あしたもよかった (森山京), 金色の象 (岩瀬成子), ピータイルねこ (岡田淳), ふわふわ (村上春樹)

内容 七〇年代からの日本社会の激動は童話の世界を大きく変えた。大人が子どもに与える教訓的な物語は影をひそめ、子どもの空想を刺激し日常とは別の次元に誘う幼年童話、ファンタジーの名作が生まれる一方、いじめや受験戦争に触まれる十代の心を繊細に描くヤングアダルト文学も登場。若い才能ある書き手達が大人と子どもの文学の境界を双方から軽やかに突破していった。山下明生、灰谷健次郎、江國香織、村上春樹等の名品二六篇。

講談社 2007.12 361p 15cm (講談社文芸文庫) 1400円

Ⓘ978-4-06-198498-1 Ⓝ913.68

小川 仁央　おがわ ひとみ

〈わすれられないおくりもの〉

（教出）「ひろがる言葉 小学国語 三上」 2011, 2015, 2020, 2024

〈わすれられないおくり物〉

（三省堂）「小学生の国語 三年」 2011, 2015

『わすれられないおくりもの』

スーザン・バーレイ作・絵，小川仁央訳

内容 アナグマは、もの知りでかしこく、みんなからとてもたよりにされていた。冬のはじめ、アナグマは死んだ。かけがえのない友を失った悲しみで、みんなはどうしていいかわからない…。友だちの素晴しさ、生きるためのちえやくふうを伝えあっていくことの大切さを語り、心にしみる感動をのこす絵本です。

評論社　1986.10　1冊　22 × 27cm　（児童図書館・絵本の部屋）　890円

Ⓘ4-566-00264-0　Ⓝ933.7

『アナグマのもちよりパーティ』〔シリーズ〕

ハーウィン・オラム文，スーザン・バーレイ絵，小川 仁央訳

内容 アナグマが、もちよりパーティを開く。でもモグラは、何も持って行くものがない。するとアナグマは、「じゃあ、君じしんを持って来てよ」と言う。そして、パーティの日…。大人気のアナグマさんが帰ってきました。

評論社　1995.3　1冊　22 × 26cm　（児童図書館・絵本の部屋）　1300円

Ⓘ4-566-00329-9　Ⓝ933.7

『アナグマさんはごきげんななめ』〔シリーズ〕

ハーウィン・オラム文，スーザン・バーレイ絵，小川 仁央訳

内容 大変、大変、あのアナグマさんがつかれて座り込んでるんだって。森のみんなが心配して訪ねてきても会おうともしません。そこでモグラくんは考えました。みんなが彼をどんなに愛し必要としているかを知らせれば…。

評論社　1998.6　1冊　22 × 26cm　（評論社の児童図書館・絵本の部屋）　1500円

Ⓘ4-566--00399-X　Ⓝ933.7

奥井 一満　　おくい かずみつ

〈みんなおなじでもみんなちがう〉

(三省堂)「しょうがくせいのこくご 一年上」 2011, 2015

『どきどきしぜん みんなおなじでもみんなちがう』

奥井一満文，得能通弘写真，小西啓介 AD

内容 いろいろな場所の海からとれたアサリは、おもしろい模様をもっています。でも、同じ模様はひとつもありません…。ヒマワリの種、サクランボ、クワガタムシなど、同じ種類でもそれぞれ個性的な生物を紹介した写真絵本。

福音館書店　2007.3　1冊　26×24cm　(かがくのとも傑作集)　838円
Ⓘ978-4-8340-2257-5　Ⓝ726.6

おの ルミ

〈ヤダ君〉

(学図)「みんなと学ぶ 小学校こくご 二年上」 2011

『半分かけたお月さま―詩集』

小野ルミ著，和田誠絵

かど創房　1977.8　85p　23cm　(創作文学シリーズ)　880円
Ⓝ911.56

『おどる詩 あそぶ詩 きこえる詩』

はせみつこ編，飯野和好絵

目次 語彙集第八十五章（中江俊夫），じこしょうかい（まど・みちお），ちょっととって（はたなか・けいいち），なんてなく（はせみつこ），たいくつ（内田麟太郎），ドレミファかえうた（阪田寛夫），さきへすすまないかぞえうた（川崎洋），ないないづくし（谷川俊太郎），ようちえん（小林香菜子），おとうちゃん大好き（小沢たかゆき）〔ほか〕

内容 声に出して読んでごらん‼ほら、心がはずむ！体はおどる！そんな、とびっきりのアンソロジーできました。

冨山房インターナショナル　2015.4　159p　21cm　2200円
Ⓘ978-4-905194-92-7　Ⓝ911.568

おのでら えつこ

〈うれしかった〉

(学図)「みんなとまなぶ しょうがっこうこくご 一ねん下」 2011, 2015, 2020

『これこれおひさま』

小野寺悦子詩, 飯野和好絵

内容 ちょっとおかしなうた、ふしぎなうた、ナンセンスなうた、ことばあそびのうたなど、バラエティー豊かな詩がいっぱい。ユーモラスでしゃれな絵も楽しい詩の本です。

のら書店 1994.9 101p 19cm 980円
Ⓘ4-931129-64-1 Ⓝ911.56

折井 英治 おりい えいじ

〈ネコのひげ〉

(学図)「みんなと学ぶ 小学校国語 三年下」 2015, 2020

『ひげものがたり』〔関連図書〕

折井英治文, 月田孝吉絵

大日本図書 1978.9 54p 22cm (おはなし科学) 750円

オルロフ, ウラジーミル

〈はりねずみと金貨〉

(東書)「新しい国語 三下」 2015 「新しい国語 三上」 2020

『ハリネズミと金貨―ロシアのお話』

ウラジーミル・オルロフ原作, 田中潔文, ヴァレンチン・オリシヴァング絵

内容 森の小道で、ハリネズミのおじいさんが金貨をみつけました。年をとって、冬ごもりのしたくもたいへんになってきたので、この金貨で干しキノコでもかおうと、さがしはじめたのですが、みつかりません。―ハリネズミのおじいさんが、つぎつぎとであう動物たちは、みんな思いやりにあふれています。本来のお金の意味、人と人が寄り添って生きることの意味を思い出させてくれるロシアのお話です。5歳から。

偕成社　2003.12　31p　29×25cm
（世界のお話傑作選）　1400円
Ⓘ4-03-963810-7　Ⓝ726.6

かさい まり

〈くれよんがおれたとき〉

（学図）「みんなと学ぶ 小学校こくご 二年上」 2020

『くれよんがおれたとき』
かさいまり作，北村裕花絵

内容 ともだちのゆうちゃんが、わたしのたいせつなくれよんをおってしまった―。

くもん出版　2015.12　32p　27×22cm　1400円
Ⓘ978-4-7743-2404-3　Ⓝ726.6

門倉 訣　かどくら さとし

〈春の子ども〉

（東書）「新しい国語 三上」 2011, 2015, 2020, 2024

『詩集 四季の歌』
門倉訣著，岩崎保夫絵

目次 季節のわかれ，一枚の絵，風が春をさがしている，バッタととびばこ，けやき・母，けやきのかげのかげ，バラ，あじさいの花，少年の湖，白い鳩，

昔ばなし，祭りのはじまり，風のペンキ屋さん，雪ちゃん，雪，紙ひこうき，地球儀〔ほか〕

けやき書房　1988.3　158p　21cm　(子ども世界の本)　980円
Ⓘ4-87452-111-8　Ⓝ911.5

角野 栄子　かどの えいこ

〈いすうまくん〉

教出「ひろがることば 小学国語 二上」 2024

『いすうまくん』

かどのえいこ作，こうもとさちこ絵

内容 夏休み、おばあちゃんの家に行ったタッくんは、物置の中から、お父さんが小さいときに使っていたいすを見つけました。タッくんがいすの言うとおりに座ってみると…。月刊『こどものとも』から生まれた絵本。

福音館書店　1991.7（初版 2014.4）31p 27cm
（こどものとも 700 号記念コレクション 20）　800円
Ⓘ978-4-8340-8066-7　Ⓝ913.6

『陰山英男の読書が好きになる名作 2 年生』

陰山英男監修

目次 だいじょうぶだいじょうぶ（いとうひろし），海の色のカーテン（安房直子），ねずみじょうど（瀬田貞二），おれはかまきりあいさつ（くどうなおこ，のはらみんな），あるはれたひに（きむらゆういち），いうことをきかないウナギ（松岡享子），たいりょう（金子みすゞ），いすうまくん（角野栄子），あたしのおおきさぶん（江國香織），きんいろのしか（唯野元弘），図工室の色ネコ（岡田淳），わかれのことば（阪田寛夫），ウーフはおしっこでできてるか？（神沢利子）

内容 朝の 10 分読書にも音読にもぴったり！くりかえし読みたくなる名作 13 本。

講談社　2014.7　160p　21cm　900円
Ⓘ978-4-06-218843-2　Ⓝ913.68

〈サラダでげんき〉

(東書)「あたらしいこくご 一下」 2011, 2015, 2020, 2024

『サラダでげんき』

角野栄子作，長新太絵

内容 りっちゃんは病気になったお母さんのために、サラダを作りはじめました。そこへ動物たちが次々にあらわれて、サラダ作りのアドバイス。最後には飛行機でぞうまでがやってきて、サラダ作りを手伝ってくれました。

福音館書店 1981.5（初版 2005.3） 31p 27×20cm
（こどものとも傑作集）800 円
Ⓘ4-8340-2081-9 Ⓝ726.6

『国語教科書にでてくる物語 1 年生・2 年生』

齋藤孝著

目次 1年生（タヌキのじてんしゃ（東君平），おおきなかぶ（トルストイ），サラダでげんき（角野栄子），いなばの白うさぎ（福永武彦），しましま（森山京），はじめは「や!」（香山美子），まのいいりょうし（稲田和子・筒井悦子），ゆうひのしずく（あまんきみこ），だってだってのおばあさん（佐野洋子），ろくべえまってろよ（灰谷健次郎），2年生（ちょうちょだけになぜなくの（神沢利子），きいろいばけつ（森山京），三まいのおふだ（瀬田貞二），にゃーご（宮西達也），きつねのおきゃくさま（あまんきみこ），スーホの白い馬（大塚勇三），かさこじぞう（岩崎京子），十二支のはじまり（谷真介），泣いた赤おに（浜田廣介））

ポプラ社 2014.4 284p 18cm （ポプラポケット文庫） 700 円
Ⓘ978-4-591-13916-5 Ⓝ913.68

『齋藤孝の親子で読む国語教科書 1 年生』

齋藤孝著

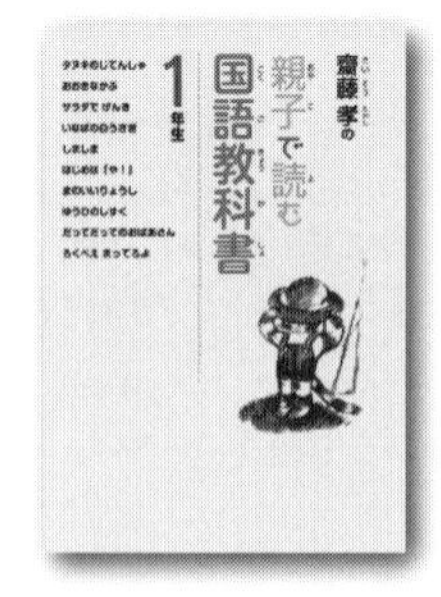

目次 タヌキのじてんしゃ（東君平），おおきなかぶ（トルストイ），サラダでげんき（角野栄子），いなばの白うさぎ（福永武彦），しましま（森山京），はじめは「や!」（香山美子），まのいいりょうし（稲田和子，筒井悦子），ゆうひのしずく（あまんきみこ），だってだってのおばあさん（佐野洋子），ろくべえまってろよ（灰谷健次郎）

内容 新しい国語の教科書を習う前に、親子で物語について語り合おう！1年生のための、楽しく、かなしく、心動かされる物語を掲載。齋藤孝のあたたかい解説を味わうことで、新しい読書の世界へのとびらが開きます。

ポプラ社　2011.3　138p　21cm　1000円
Ⓘ978-4-591-12285-3　Ⓝ817.5

『月ようびのどうわ』

日本児童文学者協会編

目次 どうぞのいす（香山美子），春のくまたち（神沢利子），うみへのながいたび（今江祥智），コスモス（森山京），すずめのてがみ（神戸淳吉），天にのぼったおけや（川村たかし），サラダでげんき（角野栄子），ハモニカじま（与田準一）

内容 言葉の力、自由で楽しい読書力がつくように、分解・分析でなくお話として楽しめるように、国語教科書に載った童話を集めて構成した7冊シリーズの1冊目。「どうぞのいす」などやさしくて面白い話ばかりを大活字で収載。

国土社 1998.3 99p 21cm（よんでみようよ教科書のどうわ１しゅうかん 1）1200円
Ⓘ4-337-09601-9　Ⓝ913

金森 襄作　かなもり じょうさく

〈木かげにごろり〉

（東書）「新しい国語 三下」 2011

『こかげにごろり―韓国・朝鮮の昔話』

金森襄作再話，鄭琡香絵

内容 山を越えた山里に、それはのどかな村がありました。百姓たちは働き者で、助け合いながら仲良く暮らしていました。でも、百姓たちに土地を貸している地主がとても欲張りで、お米や麦などをどっさり横取りするのです…。再刊。

福音館書店 2002.11（初版 2005.9）32p 20×27cm（こどものとも世界昔ばなしの旅 2）　800円
Ⓘ4-8340-2118-1　Ⓝ929.13

金子 みすゞ　かねこ みすず

〈わたしと小鳥とすずと〉

(光村)「国語 わかば 三上」 2011, 2015, 2020, 2024

『わたしと小鳥とすずと』

金子みすゞ著，矢崎節夫選

内容 「お魚」「春の朝」「みんなをすきに」「つゆ」「わたしと小鳥とすずと」…。「金子みすゞ全集」から60編を選出。旧仮名遣い・旧漢字を改めた、美しい装丁の金子みすゞ童謡集。

JULA出版局　2020.9　160p　18cm　(金子みすゞ童謡集 3)　1200円

Ⓘ978-4-577-61025-1　Ⓝ911.56

『わたしと小鳥とすずと』

金子みすゞ作

内容 みすゞさん大好き！そんな子どもたちのために『みすゞこれくしょん』は生まれました。この絵本には、みすゞさんの詩に描かれている自然や小さな生き物たちが登場し、いろんなおしゃべりをしています。そんなあたたかくてふしぎな世界を一緒に楽しんでください。

金の星社 2005.4　24p 18×22cm

(金子みすゞ詩の絵本 みすゞこれくしょん)　1000円

Ⓘ4-323-03451-2　Ⓝ911.56

『わたしと小鳥とすずと―金子みすゞ童謡集』

金子みすゞ著，矢崎節夫撰

目次 お魚（お魚，大漁 ほか），春の朝（春の朝，足ぶみ ほか），みんなをすきに（みんなをすきに，おかし ほか），つゆ（つゆ，木 ほか），わたしと小鳥とすずと（わたしと小鳥とすずと，ふしぎ ほか），すなの王国（すなの王国，美しい町 ほか）

JULA出版局　1984.8　160p　18cm　1200円

Ⓘ4-88284-070-7　Ⓝ911.58

『金子みすゞ童謡全集　普及版』

金子みすゞ著，矢崎節夫監修

目次 美しい町（空のあちら，砂の王国，おとむらいの日，大漁，大人のおもちゃ，きのうの山車），空のかあさま（空のかあさま，土のばあや，花のたましい，独楽の実，いろはかるた，空いろの花），さみしい王女（世界中の王様，芒とお日さま，橙の花，空いろの帆，仙崎八景，鯨捕り，波の子守唄）

内容「大漁」「私と小鳥と鈴と」「こだまでしょうか」みすゞが残した512編。すべて読める唯一の全集。

JULA出版局，フレーベル館〔発売〕2022.7　467，10p　21cm　3600円
Ⓘ978-4-577-05104-7　Ⓝ911.58

『陰山英男の読書が好きになる名作 3年生』

陰山英男監修

目次 風切るつばさ（きむらゆういち），魔女の無料一日体験（あんびるやすこ），教室はまちがうところだ（蒔田晋治），ケイゾウさんは飛ぶのがきらいです。（市川宣子），王子さまの耳は、ロバの耳（山内清子），いる（谷川俊太郎），天国かじごくか？のまき（たかどのほうこ），とらときつね（中川李枝子），わたしと小鳥とすずと（金子みすゞ），昔屋話吉おばけ話（杉山亮），はちみつのパン（茂市久美子），世界は一冊の本（長田弘）

内容 本をたくさん読んで、頭がよくなる「陰山メソッド」が満載！朝の10分読書にも音読にもぴったり！くりかえし読みたくなる名作12本。

講談社　2014.7　160p　21cm　900円
Ⓘ978-4-06-218844-9　Ⓝ913.68

『さみしい王女　金子みすゞ全集 3』

金子 みすゞ著

JULA出版局　1984.8　281p　20cm　1200円
Ⓘ978-4-88284-304-7　Ⓝ911.58

『齋藤孝の親子で読む詩・俳句・短歌・童謡 3・4年生』

齋藤孝著

目次 詩（わたしと小鳥とすずと（金子みすゞ），ふしぎ（金子みすゞ），春のうた（草野心平）ほか），童謡・唱歌（朧月夜（高野辰之），花（武島羽衣），春の海終日…（与謝蕪村）ほか）

内容 この巻では、俳句・短歌をたくさん紹介しました。気にいったものがあったら、何回も読んでおぼえてください。

ポプラ社　2012.3　134p 21cm（齋藤孝の親子で読む詩・俳句・短歌・古典 2）1000円
Ⓘ978-4-591-12789-6　Ⓝ911.08

かみや にじ

〈うさぎのさいばん〉

（三省堂）「小学生の国語 三年」 2011, 2015

『うさぎのさいばん』

キムセシル文，ハンテヒ絵，かみやにじ訳

内容 とらが人を食べるのは正しいことか…? うさぎがくだした判決は？ハラハラドキドキ、わっはっはの韓国・朝鮮の昔話。

少年写真新聞社　2005.2　1冊　26×26cm　1500円
Ⓘ4-87981-192-0　Ⓝ726.6

かわきた りょうじ

〈のんびり森のぞうさん〉

（教出）「ひろがることば しょうがくこくご 一下」 2020, 2024

『のんびり森のぞうさん』

かわきたりょうじ作，みやざきひろかず絵

内容 のんびり森にすんでいるぞうさんは、とてものんびりやさん。ある日、うさぎさんから引っ越しのおいわい会の招待状の配達を頼まれますが、配り終えるのに3日もかかってしまいました。でも…。

岩崎書店　1996.7　23p　25 × 22cm　（えほん・ハートランド 13）　1300円
Ⓘ4-265-03443-8　Ⓝ913.6

『のんびり森はおおゆきです』〔シリーズ〕

かわきたりょうじ作，みやざきひろかず絵

内容 のんびり森は、ゆきものんびりふるのかな？

岩崎書店　2000.2　23p　26 × 22cm　（のびのび・えほん 1）　1300円
Ⓘ4-265-03461-6　Ⓝ913.6

『のんびり森のかいすいよく』〔シリーズ〕
かわきたりょうじ作，みやざきひろかず絵

内容 のんびり森のちかくのうみは、なみものんびりゆれいてます。
岩崎書店　2002.6　23p　25 × 22cm　(のびのび・えほん 15)　1100 円
Ⓘ4-265-03475-6　Ⓝ913.6

『本は友だち 1 年生』
日本児童文学者協会編

目次 花いっぱいになぁれ（松谷みよ子），雨くん（村山籌子），のんびり森のぞうさん（川北亮司），ぱちんぱちんきらり（矢崎節夫），コンクリートのくつあと（牧ひでを），たくやくん（森山京），詩・ジュース（高木あきこ），詩・はしるのだいすき（まどみちお），おふとんになったきのこ（工藤直子），おやおやや（林原玉枝），ノリオのはひふへほ（たかどのほうこ），エッセイ・一年生のころ「○○○じけん」に気をつけて（薫くみこ）

内容 この本には、「国語」の教科書でおなじみの作品をはじめ、現代の子どもの文学の世界を代表する作家たちの作品が集められています。
偕成社　2005.3　139p　21cm　(学年別・名作ライブラリー 1)　1200 円
Ⓘ4-03-924010-3　Ⓝ913.68

川崎 洋　かわさき ひろし

〈てんとうむし〉

(教出)「ひろがることば 小学国語 二下」 2015, 2020 「ひろがることば 小学国語 二上」 2024 (光村)「こくご ともだち 一下」 2011, 2015

『どうぶつぶつぶつ—川崎洋詩集』
川崎洋著，北川幸比古責任編集

内容 国語の教科書などで親しまれている川崎洋の詩のうち、詩集などに収められていなかったものを中心に収録。だれが読んでもたのしい、みずみずしい詩情にあふれたことばあそび詩の集大成。
岩崎書店　1995.12　102p　20cm　(美しい日本の詩歌 8)　1700 円
Ⓘ4-265-04048-9　Ⓝ911.56

〈にくをくわえたいぬ〉

(三省堂)「しょうがくせいのこくご 一年上」 2011, 2015

『イソップ物語』〔関連図書〕

イソップ原作，西本鶏介監修，川崎洋文

目次 肉をくわえた犬，うそつきの子ども，クジャクとツル，キツネとブドウ，野ネズミと町ネズミ，ライオンとウサギ，山のロバと家のロバ，旅人と運命の神，棒のおしえ，ライオンとクマ，おんどりとワシ〔ほか〕

小学館　1999.4　103p　27×22cm　（小学館世界の名作 18）　1600 円
Ⓘ4-09-250018-1　Ⓝ908.3

〈ゆき〉

(教出)「ひろがることば しょうがくこくご 一下」 2020, 2024　(光村)「国語 あおぞら 三下」 2020, 2024

『しかられた神さま―川崎洋少年詩集』

川崎洋著，杉浦範茂絵

内容 自然へのおどろきをみずみずしい言葉でうたい、ことばの響きの不思議さに耳傾ける。詩人の鋭い感性が生んだ新しい日本語の世界。

理論社　1981.12　141p　21cm　（詩の散歩道）　1500 円

〈わにのおじいさんのたからもの〉

(教出)「ひろがることば 小学国語 二下」 2011 「ひろがることば 小学国語 二上」 2015, 2020, 2024

〈わにのおじいさんのたから物〉

(学図)「みんなと学ぶ 小学校国語 三年下」 2011, 2015, 2020

〈ワニのおじいさんのたから物〉

(東書)「新しい国語 三上」 2024

『ぼうしをかぶったオニの子』

川崎洋作，飯野和好絵

内容 カカシとしりとりをして遊んだり、ワニの宝物を探しに出かけたり、１００歳の毛虫を助けたり…。ひとりぼっちのオニの子と、自然や動物たちとのふれあいをほのぼのとしたタッチで描く。1979 年の再刊。

あかね書房　2008.7　62p　24cm　1600円
Ⓘ978-4-251-03256-0　Ⓝ913

『国語教科書にでてくる物語 3年生・4年生』

斎藤孝著

目次 3年生（いろはにほへと（今江祥智），のらねこ（三木卓），つりばしわたれ（長崎源之助），ちいちゃんのかげおくり（あまんきみこ），ききみみずきん（木下順二），ワニのおじいさんのたからもの（川崎洋），さんねん峠（李錦玉），サーカスのライオン（川村たかし），モチモチの木（斎藤隆介），手ぶくろを買いに（新美南吉）），4年生（やいトカゲ（舟崎靖子），白いぼうし（あまんきみこ），木竜うるし（木下順二），こわれた1000の楽器（野呂昶），一つの花（今西祐行），りんご畑の九月（後藤竜二），ごんぎつね（新美南吉），せかいいちうつくしいぼくの村（小林豊），寿限無（興津要），初雪のふる日（安房直子））

ポプラ社　2014.4　294p　18cm　（ポプラポケット文庫）　700円
Ⓘ978-4-591-13917-2　Ⓝ913.68

『教科書にでてくるお話 2年生』

西本鶏介監修

目次 にゃーご（宮西達也），野原のシーソー（竹下文子），花いっぱいになぁれ（松谷みよ子），おおきなキャベツ（岡信子），名まえをみてちょうだい（あまんきみこ），いいものもらった（森山京），ワニのおじいさんのたからもの（川崎洋），コスモスさんからおでんわです（杉みき子），せなかをとんとん（最上一平），きつねのおきゃくさま（あまんきみこ），あたまにかきのき（望月新三郎），かさこじぞう（岩崎京子），きいろいばけつ（森山京），くま一ぴきぶんはねずみ百ぴきぶんか（神沢利子）

内容 現在使われている各社の国語教科書に掲載または紹介されている作品ばかりを集めたアンソロジーです。長く読みつがれている名作、心あたたまるお話、おもしろくて元気がでるお話など、すばらしい作品がいっぱい。作品の表記は原典に忠実にし、全文を掲載しています。教科書では気づかなった作品の魅力を、新たに発見できるかもしれません。小学校初・中級から。

ポプラ社　2006.3　190p　18cm　（ポプラポケット文庫）　570円
Ⓘ4-591-09168-6　Ⓝ913.68

『ひとりでこっそりよむ本』

現代児童文学研究会編

目次 ピアノは夢をみる・あそびましょ（工藤直子，あべ弘士），こっちをむいて（森山京），ワニのおじいさんのたからもの（川崎洋），こぶたとばくだんこぶた（小沢正），さかなの木のぼり（杉山径一），なつみのきいろいかさ（新冬二），おばけハンカチ（三田村信行）

偕成社　1996.4　121p　21×17cm　（きょうもおはなしよみたいな 6）　1200円
Ⓘ4-03-539220-0　Ⓝ913.68

『齋藤孝の親子で読む国語教科書 3年生』
齋藤孝著

目次 いろはにほへと（今江祥智），のらねこ（三木卓），つりばしわたれ（長崎源之助），ちいちゃんのかげおくり（あまんきみこ），ききみみずきん（木下順二），ワニのおじいさんのたからもの（川崎洋），さんねん峠（李錦玉），サーカスのライオン（川村たかし），モチモチの木（斎藤隆介），手ぶくろを買いに（新美南吉）

内容 新しい国語の教科書を習う前に、親子で物語について語り合おう！3年生のための、楽しく、かなしく、心動かされる物語を掲載。齋藤孝のあたたかい解説を味わうことで、新しい読書の世界へのとびらが開きます。

ポプラ社　2011.3　142p　21cm　1000円
Ⓘ978-4-591-12287-7　Ⓝ817.5

『こころにひびく名さくよみもの 2年―よんで、きいて、こえに出そう』
府川源一郎，佐藤宗子編

目次 わにのおじいさんのたからもの（川崎洋），ちょうちょだけに、なぜなくの（神沢利子），ろくべえまってろよ（灰谷健次郎），そして、トンキーもしんだ（たなべまもる），つばめ（内田康夫），タンポポ（まどみちお）

内容 小学校国語教科書に掲載された名作（物語・説明文・詩）を学年別に収録。発達段階に応じた教科書表記を採用。難意語には注を記載。発展学習にも役立つよう、交ぜ書きから読み仮名付きの漢字へ適宜変更。当時の教科書に使用された挿絵を掲載。俳優・声優による格調高い朗読をCDに収め各巻に添付。

教育出版　2004.3　74p　21cm　2000円
Ⓘ4-316-80086-8　Ⓝ918.6

川村 たかし　かわむら たかし

〈サーカスのライオン〉

（東書）「新しい国語 三下」 2011, 2015 「新しい国語 三上」 2020, 2024

『くじらの海』

川村たかし作，石倉欣二絵

目次 クマさんうしろむき，サーカスのライオン，山へ行く牛，くじらの海

内容 男幸（おさち）の家は代々くじらぶねのもり打ちだった。じいさんも、ひいじいさんも。岩ばかりで田畑の少ない村の人々は、捕鯨で暮らしを立てていた。

岩崎書店　1997.4　77p　22×19cm
（日本の名作童話 22）　1500 円
Ⓘ4-265-03772-0　Ⓝ913.68

『サーカスのライオン』

川村たかし著，斎藤博之画

内容 ある日、アパートが火事になり、仲良しの男の子を助けるために、ライオンのじんざは火の中にとびこみましたが…。

ポプラ社　1972.12　35p　25cm　（おはなし名作絵本 16）　1000 円
Ⓘ4-591-00543-7　Ⓝ913.6

『齋藤孝の親子で読む国語教科書 3 年生』

齋藤孝著

目次 いろはにほへと（今江祥智），のらねこ（三木卓），つりばしわたれ（長崎源之助），ちいちゃんのかげおくり（あまんきみこ），きききみみずきん（木下順二），ワニのおじいさんのたからもの（川崎洋），さんねん峠（李錦玉），サーカスのライオン（川村たかし），モチモチの木（斎藤隆介），手ぶくろを買いに（新美南吉）

ポプラ社　2011.3　142p　21cm　1000 円
Ⓘ978-4-591-12287-7　Ⓝ817.5

『教科書にでてくるお話 3 年生』

西本鶏介監修

目次 のらねこ（三木卓），きつつきの商売（林原玉枝），ウサギのダイコン（茂市久美子），きつねをつれてむらまつり（こわせたまみ），つりばしわたれ（長崎源之助），手ぶくろを買いに（新美南吉），うみのひかり（緒島英二），サーカスのライオン（川村たかし），おにたのぼうし（あまんきみこ），百羽のツル（花岡大学），モチモチの木（斎藤隆介），かあさんのうた（大野允子），ちいちゃんのかげおくり（あまんきみこ）

内容 現在使われている各社の国語教科書に掲載または紹介されている作品ばかりを集めたアンソロジーです。長く読みつがれている名作、心あたたまるお話、おもしろくて元気がでるお話など、すばらしい作品がいっぱい。作品の表記は原典に忠実にし、全文を掲載しています。教科書では気づかなかった作品の魅力を、新たに発見できるかもしれません。小学校中級から。

ポプラ社　2006.3　186p　18cm　（ポプラポケット文庫）　570円
Ⓘ4-591-09169-4　Ⓝ913.68

『国語教科書にでてくる物語 3年生・4年生』
斎藤孝著

目次 3年生（いろはにほへと（今江祥智），のらねこ（三木卓），つりばしわたれ（長崎源之助），ちいちゃんのかげおくり（あまんきみこ），ききみみずきん（木下順二），ワニのおじいさんのたからもの（川崎洋），さんねん峠（李錦玉），サーカスのライオン（川村たかし），モチモチの木（斎藤隆介），手ぶくろを買いに（新美南吉）），4年生（やいトカゲ（舟崎靖子），白いぼうし（あまんきみこ），木竜うるし（木下順二），こわれた1000の楽器（野呂昶），一つの花（今西祐行），りんご畑の九月（後藤竜二），ごんぎつね（新美南吉），せかいいちうつくしいぼくの村（小林豊），寿限無（興津要），初雪のふる日（安房直子））

内容 国語教科書にでてくるお話を、物語を楽しむためのヒントとなる解説を付けて紹介。3年生・4年生は、「ききみみずきん」「手ぶくろを買いに」「白いぼうし」「寿限無」などを収録する。

ポプラ社　2014.4　294p　18cm　（ポプラポケット文庫）　700円
Ⓘ978-4-591-13917-2　Ⓝ913.68

神沢 利子　　かんざわ としこ

〈あさのおひさま〉

(光村)「こくご かざぐるま 一上」 2015, 2020, 2024

『みみずのたいそう』
市河紀子編，西巻茅子絵

目次 あさのおひさま，森の夜明け，ろんぐらんぐ，くまさん，へびのあかちゃん，みみずのたいそう，なのはなとちょうちょう，たんたんたんぽぽ，たんぽぽさん，うさぎ〔ほか〕

内容 幼いときから、美しく豊かな日本のことばに親しんでほしいと願って編んだ、子どもたちがはじめて出会うのにぴったりの詩のアンソロジー。神沢利子、岸田衿子、工藤直子、阪田寛夫、谷川俊太郎、まど・みちお、与田準一作の詩、四十六編を収録しています。

のら書店　2006.11　125p　19cm　（詩はともだち）　1200円
Ⓘ4-931129-24-2　Ⓝ911.568

『大きなけやき』
神沢利子詩，白根美代子絵

目次 はやおきだあれ，たんぽぽさん，土手のたんぽぽ，そら豆，あさのおひさま，つりばし，うさぎさん，たけのこ，ポケットおさえて，たまごのなかで〔ほか〕

国土社　2003.1　77p　25×22cm　（現代日本童謡詩全集 9）　1600円
Ⓘ4-337-24759-9　Ⓝ911.56

『大きなけやき』
神沢利子著

目次 はやおきだあれ，たんぽぽさん，土手のたんぽぽ，そら豆，あさのおひさま，つりばし，うさぎさん，たけのこ，ポケットおさえて，たまごのなかで〔ほか〕

国土社　1982.7　78p　21cm　（国土社の詩の本 12）　1359円
Ⓘ4-337-24712-2　Ⓝ911.58

〈あした〉

(教出)「ひろがることば 小学国語 二下」 2011

『おめでとうが いっぱい』
神沢利子詩，西巻茅子絵

内容 幼い子どもたちに、豊かで美しいことばをくり返し語りかけてほしいと願っておくる詩集。

のら書店　1991.12　95p　20cm　（幼い子どものための詩の本）　980円
Ⓘ4-931129-63-3　Ⓝ911.56

『ぱぴぷぺぽっつん』
市河紀子編，西巻茅子絵

目次 あさ・ひる・よる，あした，でんぐりがえり，きょうはいいひ，はんたいことば，ねむいうた，ほし，ゴリラ日記，だあれ?，セーターをかぶるとき〔ほか〕

かんざわ

内容 幼いときから、美しく豊かな日本のことばに親しんでほしいと願って編んだ、子どもたちがはじめて出会うのにぴったりの詩のアンソロジー。神沢利子、岸田衿子、工藤直子、阪田寛夫、谷川俊太郎、原田直友、まど・みちお、与田準一作の詩、四十六編を収録しています。

のら書店　2007.3　125p　19cm　(詩はともだち)　1200円
Ⓘ978-4-931129-25-2　Ⓝ911.568

〈うみはごきげん〉

(学図)「みんなとまなぶ しょうがっこうこくご 一ねん下」 2015, 2020

『おめでとうが いっぱい』

神沢利子詩，西巻茅子絵

内容 幼い子どもたちに、豊かで美しいことばをくり返し語りかけてほしいと願っておくる詩集。

のら書店　1991.12　95p　20cm　(幼い子どものための詩の本)　980円
Ⓘ4-931129-63-3　Ⓝ911.56

〈紙ひこうき〉

(東書)「新しい国語 三上」 2011, 2015, 2020, 2024

『あら どこだ』

神沢利子詩，長新太絵

内容 ろばの耳は 上むいて ぞうの耳は 下むいて わたしの耳は かおのよこ わにの耳は…あらどこだ？…詩の絵本。

国土社　1987.8　24p　26×21cm　(しのえほん 8)　980円
Ⓘ4-337-00308-　Ⓝ911.58

『あらどこだ―歌の絵本』

神沢利子詩，村上康成絵

チャイルド本社　1996.8　21p　15cm　(チャイルドのマイ・ファーストブック 5)
500円
Ⓘ4-8054-2008-1，4-8054-2001-4 (set)　Ⓝ911.58

『詩は宇宙 4年』

水内喜久雄編，太田大輔絵

目次 学ぶうた（朝の歌（小泉周二），朝がくると（まど・みちお）ほか），手紙がとどく（手紙（鈴木敏史），どきん（谷川俊太郎）ほか），おばあちゃんおじいちゃん（あいづち（北原宗積），八十さい（柘植愛子）ほか），木のうた（木（川崎洋），けやき（みずかみかずよ）ほか），生きものから（チョウチョウ（まど・みちお），シッポのちぎれたメダカ（やなせたかし）ほか），友だちのうた（ともだちになろう（垣内磯子），ともだち（須永博士）ほか），ちょう特急で（もぐら（まど・みちお），たいくつ（内田麟太郎）ほか），声に出して（かえるのうたのおけいこ（草野心平），ゆきふるるん（小野ルミ）ほか），不安になる（ぼくひとり（江口あけみ），うそつき（大洲秋登）ほか），がんばる（くじらにのまれて（糸井重里），春のスイッチ（高階杞一）ほか）

内容 日本を代表する詩人たちがおくる詩は、宇宙のひろがり。小学１年～６年に収めた計300編の詩に、新しい発見がある。さくらももこ、金子みすゞら、子どもの心をもったすてきな詩人の作品を収める。

ポプラ社　2003.4　157p　20×16cm　（詩はうちゅう 4）　1300円
Ⓘ4-591-07590-7　Ⓝ911.568

〈ちょうちょだけに、なぜなくの〉

（教出）「ひろがることば 小学国語 二下」 2011

『くまの子ウーフ　新装版』

神沢利子作，井上洋介絵

目次 さかなにはなぜしたがない，ウーフはおしっこでできてるか??，いざというときってどんなとき?，きつつきのみつけたたから，ちょうちょだけになぜなくの，たからがふえるといそがしい，おっことさないものなんだ?，???，くま一ぴきぶんはねずみ百ぴきぶんか，「くまの子ウーフ」刊行五十周年によせて

内容 あそぶことが大すき、たべることが大すき、そして、かんがえることが大すきな、くまの子ウーフ。ほら、きょうもウーフの「どうして?」がきこえてきます！

ポプラ社　2020.11　137p　20×16cm　（くまの子ウーフの童話集 1）　1300円
Ⓘ978-4-591-16818-9　Ⓝ913.6

『神沢利子のおはなしの時間 1』

神沢利子作，井上洋介絵

目次 ウーフはおしっこでできてるか??，ちょうちょだけになぜなくの，おっことさないものなんだ?，???，くま一ぴきぶんはねずみ百ぴきぶんか，おかあさんおめでとう，ウーフはあかちゃんみつけたよ，ぴかぴかのウーフ，たんじょう会みたいな日

内容「ウーフはおしっこでできてるか??」「ちょうちょだけになぜなくの」

など、生きることの喜びや命の不思議をみずみずしく描いた「くまの子ウーフ」のおはなし計9編を収録。

ポプラ社　2011.3　146p　21cm　1200円
Ⓘ978-4-591-12280-8　Ⓝ913.6

『国語教科書にでてくる物語 1年生・2年生』

齋藤孝著

目次 1年生（タヌキのじてんしゃ（東君平），おおきなかぶ（トルストイ），サラダでげんき（角野栄子），いなばの白うさぎ（福永武彦），しましま（森山京），はじめは「や!」（香山美子），まのいいりょうし（稲田和子・筒井悦子），ゆうひのしずく（あまんきみこ），だってだってのおばあさん（佐野洋子），ろくべえまってろよ（灰谷健次郎），2年生（ちょうちょだけになぜなくの（神沢利子），きいろいばけつ（森山京），三まいのおふだ（瀬田貞二），にゃーご（宮西達也），きつねのおきゃくさま（あまんきみこ），スーホの白い馬（大塚勇三），かさこじぞう（岩崎京子），十二支のはじまり（谷真介），泣いた赤おに（浜田廣介））

ポプラ社　2014.4　284p　18cm　（ポプラポケット文庫）　700円
Ⓘ978-4-591-13916-5　Ⓝ913.68

『齋藤孝の親子で読む国語教科書 2年生』

斎藤孝著

目次 ちょうちょだけになぜなくの（神沢利子），きいろいばけつ（森山京），三まいのおふだ（瀬田貞二），にゃーご（宮西達也），きつねのおきゃくさま（あまんきみこ），スーホの白い馬（大塚勇三），かさこじぞう（岩崎京子），十二支のはじまり（谷真介），泣いた赤おに（浜田廣介）

内容 新しい国語の教科書を習う前に、親子で物語について語り合おう！2年生のための、楽しく、かなしく、心動かされる物語を掲載。齋藤孝のあたたかい解説を味わうことで、新しい読書の世界へのとびらが開きます。

ポプラ社　2011.3　142p　21cm　1000円
Ⓘ978-4-591-12286-0　Ⓝ817.5

〈みみずのたいそう〉

（東書）「あたらしいこくご 一下」 2015, 2020, 2024

『みみずのたいそう』

市河紀子編，西巻茅子絵

目次 あさのおひさま，森の夜明け，ろんぐらんぐ，くまさん，へびのあかちゃん，みみずのたいそう，なのはなとちょうちょう，たんたんたんぽぽ，たんぽぽさん，うさぎ〔ほか〕

内容 幼いときから、美しく豊かな日本のことばに親しんでほしいと願って編んだ、子どもたちがはじめて出会うのにぴったりの詩のアンソロジー。神沢利子、岸田衿子、工藤直子、阪田寛夫、谷川俊太郎、まど・みちお、与田準一作の詩、四十六編を収録しています。

のら書店　2006.11　125p　19cm　(詩はともだち)　1200円
Ⓘ4-931129-24-2　Ⓝ911.568

『おやすみなさい またあした』
神沢利子詩，西巻茅子絵

内容 つくし、ちょうちょなど、子どもに身近な草花や小動物を、幼い子どもの視点でとらえ、素朴で親しみやすいことばでうたった、楽しい詩の本です。

のら書店　1988.9　101p　19cm　(幼い子どものための詩の本)　950円
Ⓘ4-931129-61-7　Ⓝ911.56

〈やま〉

(光村)「こくご 赤とんぼ 二下」　2020, 2024

『おやすみなさい またあした』
神沢利子詩，西巻茅子絵

のら書店　1988.9　101p　19cm　(幼い子どものための詩の本)　950円
Ⓘ4-931129-61-7　Ⓝ911.56

かんの ゆうこ

〈はるねこ〉

(教出)「ひろがることば 小学国語 二上」　2024

『はるねこ』
かんのゆうこ文，松成真理子絵

内容 今年の春は、どこかへん。そんなとき、春の種をなくしたという猫が、あやのもとにやってきて…。

講談社　2011.2　1冊　27×22cm
(講談社の創作絵本)　1500円
Ⓘ978-4-06-132455-8　Ⓝ913.6

『なつねこ』〔シリーズ〕

かんの ゆうこ文，北見 葉胡絵

内容 夏の夕暮れ。なみこは、庭のむこうからやってきた小さなねこに、風鈴づくりを見にいこうと誘われて…。不思議なねこと少女の出会いを描いた、心あたたまる物語。

講談社　2011.6　32p　27cm　（講談社の創作絵本）　1500円
Ⓘ978-4-06-132470-1　Ⓝ913.6

『あきねこ』〔シリーズ〕

かんの ゆうこ文，たなか 鮎子絵

内容 公園で出会った黒ねこは、ふしぎな絵の道具をつかって、いろんな秋の風景を描きだしました。すると…。不思議なねこと少女の出会いを描いた、心あたたまる物語。

講談社　2011.8　32p　27cm　（講談社の創作絵本）　1500円
Ⓘ978-4-06-132477-0　Ⓝ913.6

『ふゆねこ』〔シリーズ〕

かんの ゆうこ文，こみね ゆら絵

内容 お母さんを亡くしたばかりのちさとのもとに、桃色のマフラーをした真っ白なねこが訪ねてきた。「ふゆねこ」と名乗ったそのねこは、ちさとのお母さんからあることを頼まれてやってきたと言い…。心温まるストーリー。

講談社　2010.11　32p　27cm　（講談社の創作絵本）　1500円
Ⓘ978-4-06-132448-0　Ⓝ913.6

木坂 涼　　きさか りょう

〈ニシキヘビ〉

（学図）「みんなと学ぶ 小学校国語 三年上」 2011

『ひつじがいっぴき』

木坂涼詩，長谷川義史絵

目次 どうぶつだいすきことばであそぼ！（ひつじ，うさぎ），どうぶついろいろわたしぼく（アマガエル，フクロウ ほか），どうぶつバンザイすてきないのち（うりぼう，くじゃく ほか），どうぶつだいすきことばでクイズ！（もんだい，わたしはだれでしょう？）

内容 ねむれないとき ひつじをかぞえる ひつじが いっぴき ひつじが にひき ひつじが さんびき…（「ひつじ」より）動物をテーマにした詩31編とかわいいイラストを収録。

フレーベル館　2007.11　72p　22×19cm　1500円
Ⓘ978-4-577-03515-3　Ⓝ911.56

岸 なみ　きし なみ

〈たぬきの糸車〉

（光村）「こくご ともだち 一下」 2011, 2015, 2020, 2024

『伊豆の民話　新版』〔関連図書〕
岸なみ編

目次 北伊豆（お福と鬼（節分縁起），天狗の独楽，手無仏，狩野の泣き釜，河童の傷薬 ほか），南伊豆（大きい太鼓，称念寺縁起，粟の長者，天人女房，かっぱのかめ ほか）

未来社　2015.5　222p　19cm　（日本の民話 4）　2000円
Ⓘ978-4-624-93504-7　Ⓝ388.154

『伊豆の民話』〔関連図書〕
岸なみ編

未來社　2006.7　217p　21cm　（日本の民話 4）　3600円
Ⓘ4-624-99104-4　Ⓝ388.154

岸田 衿子　きしだ えりこ

〈いろんなおとのあめ〉

（学図）「みんなと学ぶ 小学校国語 三年上」 2011 「みんなと学ぶ 小学校こくご 二年上」 2015, 2020 （教出）「ひろがることば しょうがくこくご 一下」 2011, 2015 （東書）「新しい国語 二上」 2011, 2015, 2020, 2024

『へんなかくれんぼ―子どもの季節とあそびのうた』

岸田衿子詩，織茂恭子絵

目次 おぼえてるかな，とんとんとーもろこし，くりひろい，りんりりん

のら書店　1990.7　101p　20cm　980円

Ⓘ4-931129-62-5　Ⓝ911.56

『こども詩集 わくわく』

全国学校図書館協議会，田中和雄編

目次 春が来た（高野辰之），ねがいごとたんぽぽはるか（工藤直子），子どもが笑うと…（新川和江），いろんなおとのあめ（岸田衿子），とんとんとーもろこし（岸田衿子），やぎさんゆうびん（まど・みちお），はだか（若山牧水），しりとりことば―作者不詳，びりのきもち（阪田寛夫），蚯蚓の詩（木山捷平）〔ほか〕

童話屋　2019.7　139p　19cm　1500円

Ⓘ978-4-88747-137-5　Ⓝ911.568

『詩はうちゅう 2年』

水内喜久雄編，大滝まみ絵

目次 はじまりのうた（いってみよ（宮中雲子），わくわくはてな（国沢たまき）ほか），みんなたんぽぽ（たんぽぽすきよ（楠木しげお），たんぽぽ（川崎洋）ほか），はひふへほのうた（「は」「ほ」「ふ」の字（大熊義和），ぱぴぷぺぽ（工藤直子）ほか），友だち・だいすき（あたらしいともだち（木村/信子），ひとりぼっちのあのこ（宮沢章二）ほか），たべもののうた（おもちのあくび（関今日子），おかしいな（与田準一）ほか），おとのうた（おと（工藤直子），いろんなおとのあめ（岸田衿子）ほか），じゅんのうた（へんなひとかぞえうた（岸田衿子），いちがつにがつさんがつ（谷川俊太郎）ほか），なぞのうた（なにがかくれてる（のろさかん），ことばかくれんぼ（川崎洋）ほか），ふあんなきもち（びりのきもち（阪田寛夫），なくしもの（木村信子）ほか），ぼく（ぼく（木村信子），どっさりのぼく（小林純一）ほか）

ポプラ社　2003.4　161p　20×16cm　（詩はうちゅう 2）　1300円

Ⓘ4-591-07588-5　Ⓝ911.56

『みみずのたいそう』

市河紀子編，西巻茅子絵

目次 あさのおひさま，森の夜明け，ろんぐらんぐ，くまさん，へびのあかちゃ

ん，みみずのたいそう，なのはなとちょうちょう，たんたんたんぽぽ，たんぽぽさん，うさぎ〔ほか〕

内容 幼いときから、美しく豊かな日本のことばに親しんでほしいと願って編んだ、子どもたちがはじめて出会うのにぴったりの詩のアンソロジー。神沢利子、岸田衿子、工藤直子、阪田寛夫、谷川俊太郎、まど・みちお、与田準一作の詩、四十六編を収録しています。

のら書店　2006.11　125p　19cm　（詩はともだち）　1200円
Ⓘ4-931129-24-2　Ⓝ911.568

『ちちんぷいぷい―ことばの宝箱』

川崎洋，木坂涼編，杉田比呂美画

目次 1 あそび歌など（赤ちゃんのあやしことば，子もり歌，あいさつ ほか），2 おはなし歌・かえ歌（おはなし歌，かえ歌），3 詩（祝詞（川崎洋），おれも眠ろう（草野心平），いのち（工藤直子）ほか）

内容 なつかしい、たのしい、おもしろい日本語。譜面で習った覚えもないのに、口ずさむフレーズや節回し、遊び歌を、私たちは数多く共有しています。年代を越え、世代をつなぎ、伝承された文化遺産ともいえるそんな「ことばの宝物」をまとめました。

岩崎書店　2003.3　142p　19cm　1200円
Ⓘ4-265-80114-5　Ⓝ911.58

〈ジオジオのかんむり〉

（光村）「こくご 赤とんぼ 二下」 2020

『ジオジオのかんむり』

岸田衿子作，中谷千代子画

内容 ジオジオはライオンの中でも一番強かった王さまで、立派なかんむりをかぶっています。でも、ひとりぼっちでした。そこへ、卵をすべて失った小鳥がやってきました。嘆く小鳥にジオジオは語りかけます。「たまごをうみたいなら、いいところがあるぞ」。それはなんとジオジオのかんむりの中。ここなら安心、たまごは無事かえり小鳥たちは元気にジオジオのまわりを飛び回ります。年老いたライオンと小鳥との心の交流を優しいタッチで描きます。

福音館書店　1960.7（初版 1978.4）　19p　27cm　（こどものとも傑作集 19）　800円
Ⓘ4-8340-0714-6　Ⓝ913.6

〈シーソーにのったら〉

（三省堂）「小学生のこくご 二年」 2011，2015

『木いちごつみ―子どものための詩と絵の本』
岸田衿子詩，山脇百合子絵

内容 「ちいさいなみ　つめたくて　ちいさいたね　こぼれてて　ちいさいくも　うかんでて　ちいさいむし　はっている……」（みーつけた）、「さんぽしてるの　だれかしら？　きつねと　たぬきの　ふたりです　かげぼーしみたらわかります……」（さんぽ）など、動物や自然をテーマにした15編の詩で展開。幼い子どもたちの身近な素材を、やさしい言葉でリズミカルに表現し、とりわけ楽しい絵がイメージを広げてくれます。

福音館書店　1983.10　1冊　22×24cm　1000円
Ⓘ978-4-8340-0948-4　Ⓝ911.58

〈みいつけた〉

（光村）「国語 わかば 三上」 2011

『木いちごつみ―子どものための詩と絵の本』
岸田衿子詩，山脇百合子絵

福音館書店　1983.10　1冊　22×24cm　1000円
Ⓘ978-4-8340-0948-4　Ⓝ911.58

『光村ライブラリー 第18巻 《おさるがふねをかきました ほか》』
樺島忠夫，宮地裕，渡辺実監修，まどみちお，三井ふたばこ，阪田寛夫，川崎洋，河井酔茗ほか著，松永禎郎，杉田豊，平山英三，武田美穂，小野千世ほか画

目次 おさるがふねをかきました（まど・みちお），みつばちぶんぶん（小林純一），あいうえお・ん（鶴見正夫），ぞうのかくれんぼ（高木あきこ），おうむ（鶴見正夫），あかいカーテン（みずかみかずよ），ガラスのかお（三井ふたばこ），せいのび（武鹿悦子），かぼちゃのつるが（原田直友），三日月（松谷みよ子），夕立（みずかみかずよ），さかさのさかさはさかさ（川崎洋），春（坂本遼），虻（嶋岡晨），若葉よ来年は海へゆこう（金子光春），われは草なり（高見順），くまさん（まど・みちお），おなかのへるうた（阪田寛夫），てんらん会（柴野民三），夕日がせなかをおしてくる（阪田寛夫），ひばりのす（木下夕爾），十時にね（新川和江），みいつけた（岸田衿子），どきん（谷川俊太郎），りんご（山村暮鳥），ゆずり葉（河井酔茗），雪（三好達治），影（八木重吉），楽器（北川冬彦），動物たちの恐ろしい夢のなかに（川崎洋），支度（黒田三郎）

光村図書出版　2004.11　83p　21cm　1000円
Ⓘ4-89528-116-7　Ⓝ908

〈山のてっぺん〉

(光村)「国語 わかば 三上」 2015

『たいせつな一日―岸田衿子詩集』

岸田衿子著，水内喜久雄選・著，古矢一穂絵

目次 だれもいそがない村（だれもいそがない村，空にかざして ほか），十二か月の窓（冬の林―一月，スノードロップ―二月 ほか），なぜ花はいつも（小鳥が一つずつ，一生おなじ歌を歌い続けるのは ほか），たいせつな一日（かぜとかざぐるま，かぜと木 ほか）

内容 優しく導くような言葉を紡ぎ出す詩人、岸田衿子の選び抜かれた全51編。子どもたちから大人まで、すべての人に読んでもらいたい…そんな想いをこめて贈ります。

理論社　2005.3　123p　21×16cm　（詩と歩こう）　1400円
Ⓘ4-652-03849-6　Ⓝ911.56

北 彰介　きた しょうすけ

〈せかい一の話〉

(光村)「こくご 赤とんぼ 二下」 2020, 2024

『せかいいちのはなし』

北彰介作，山口晴温絵

内容 津軽弁語りが楽しい民話絵本。「せかいでおらほどでっけぇものはいねぇべな」と思い上がったおおわしが旅に出る。そこで出会ったのは、もっと大きいえびで…青森県の民話を題材に、思い上りを戒めるお話を大きなスケールで描く。民話の語り口調も楽しめる。

金の星社　1982.2　32p　24×25cm　980円

『光村ライブラリー 第9巻 《手ぶくろを買いに ほか》』

樺島忠夫，宮地裕，渡辺実監修，ウィニフレッド・ラベルほか著，神宮輝夫訳，梅田俊作ほか画

目次 小さな犬の小さな青い服（ウィニフレッド・ラベル），手ぶくろを買いに（新美南吉），つばきの木から（佐藤さとる），世界一の話（北彰介）

光村図書出版　2004.4　69p　21cm　1000円
Ⓘ4-89528-107-8　Ⓝ908

北原 白秋　きたはら はくしゅう

〈あかいとりことり〉

(光村)「こくご かざぐるま 一上」 2011

『北原白秋童謡詩歌集 赤い鳥小鳥』

北原白秋著，一乗清明画，北川幸比古編

目次 ちんちん千鳥，夢買い，揺籃のうた，砂山，かやの木山の，ペチカ，からたちの花，この道，栗鼠、栗鼠、小栗鼠，葉っぱっぱ〔ほか〕

内容 みずみずしい詩情・美しいことば。ことばの魔術師、白秋の童謡・詩・民謡から短歌までを一望。

岩崎書店　1997.6　102p　20×19cm　（美しい日本の詩歌 13）　1500円
Ⓘ4-265-04053-5　Ⓝ911.08

『赤い鳥 1 年生　新装版』

赤い鳥の会編

目次 あかいとりことり（北原白秋），おべんとう（島崎藤村），きんとと（茶木七郎），おとうふやさん（三美三郎），みずすまし（川上すみを），こうさぎ（寺門春子），しろいおうま（堀田由之助），おおきなおふろ（有賀連），あしをそろえて（柴野民三），みかんやさん（大山義夫），きりんのくび（岡本太郎），おんどり・めんどり（大木篤夫），ぶどうのみ（都築益世），おおぐまちゅうぐまこぐま（佐藤春夫），けが（西條八十），おなかのかわ（鈴木三重吉）

内容 『赤い鳥』から生まれた童話・童謡のなかから、小学生に読んで欲しい名作をあつめました。

小峰書店　2008.2　143p　21cm　（新装版学年別赤い鳥）　1600円
Ⓘ978-4-338-23201-2　Ⓝ913.68

『からたちの花がさいたよ―北原白秋童謡選　新版』

北原白秋著，与田準一編

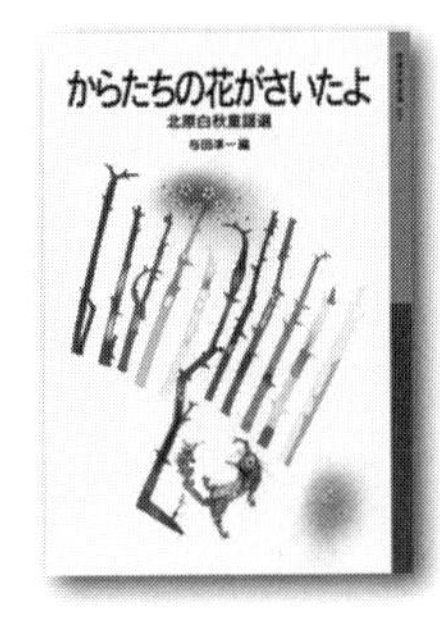

目次 春（かげろう，たあんき、ぽうんき ほか），夏（すかんぽの咲くころ，子どもの大工 ほか），秋（風，露 ほか），冬（待ちぼうけ，きじ射ちじいさん ほか），いろいろのうた（赤い鳥小鳥，むかしばなし ほか）

内容 四季折々の自然の美しさをうたった童謡のなかから、「あめふり」「ゆりかごのうた」「待ちぼうけ」「ペチカ」など、時代をこえて愛唱されてきた150作を選び、透明感あふれる初山滋の挿絵を添えて収めます。小学5・6年以上。

岩波書店　2015.3　324p　18cm　（岩波少年文庫）　880円

Ⓘ978-4-00-114224-2　Ⓝ911.58

『からたちの花がさいたよ』

北原白秋作，与田準一編

内容 向然の四季折々の美しさをうたった童謡のなかから、「あめふり」「砂山」「待ちぼうけ」など、長く愛唱されてきた作品を収め、初山滋氏の透明感あふれる挿絵を添えて贈る愛蔵用の一冊。小学上級以上。

岩波書店　1995.6　325p　18cm　（岩波少年文庫）　700円

Ⓘ4-00-112126-3　Ⓝ911.58

『北原白秋』

萩原昌好編

目次 「わが生いたち」より，空に真っ赤な，片恋，海雀，薔薇二曲，雪に立つ竹，雪後，雪後の声，庭の一部，雀よ，風，落葉松，露，あてのない消息，言葉，五十音，空威張，赤い鳥小鳥〔ほか〕

内容 雑誌「赤い鳥」に創刊から関わり、「赤い鳥小鳥」など、今なお歌いつがれる、多くの童謡を残した北原白秋。詩、短歌、童謡と幅広い分野で活躍した詩人の代表作をわかりやすく紹介します。

あすなろ書房　2011.10　87p　20×16cm　（日本語を味わう名詩入門 7）　1500円

Ⓘ978-4-7515-2647-7　Ⓝ911.568

〈お月夜〉

（三省堂）「小学生のこくご 二年」　2011, 2015

『からたちの花がさいたよ』

北原白秋作，与田準一編

内容 向然の四季折々の美しさをうたった童謡のなかから,「あめふり」「砂山」「待ちぼうけ」など、長く愛唱されてきた作品を収め、初山滋氏の透明感あふれる挿絵を添えて贈る愛蔵用の一冊。小学上級以上。

岩波書店　1995.6　325p　18cm　(岩波少年文庫)　700 円
Ⓘ4-00-112126-3　Ⓝ911.58

『10 分で読める物語 2 年生　増補改訂版』
青木伸生選

目次 きつねのしゃしん（作・あまんきみこ、絵・たかすかずみ），半日村（作・斎藤隆介、絵・スズキコージ），さるじぞう（文・西郷竹彦、絵・アンヴィル奈宝子），お月夜（作・北原白秋、絵・とよたかずひこ），パンのかけらと小さなあくま（リトアニア民話、再話・内田莉莎子、絵・井江栄），カンガルーの赤ちゃん（文・中川志郎、写真・内山晟），夏休み、ぼくはおばあちゃんちに行った（作・ゆうきえみ、絵・山口みねやす），空がある（作・与田準一、絵・小林敏也），三月の風（原作・ミリアン・C. ポッター、文・春山行夫、絵・村田エミコ），みどり色の宝石（ヒマラヤの民話、再話・茂市久美子、絵・石川えりこ），松尾芭蕉の俳句（絵・あべ弘士），算数の時間です（作・寺村輝夫、絵・西川おさむ），かぐやひめ（文・円地文子、絵・清重伸之），回文を作ろう（絵・クリハラタカシ）

内容 読解力がつき、読書が楽しくなる！国語の先生が選んだバラエティ豊かな 14 作品。

学研プラス　2020.1　191，16p　21cm　(よみとく 10 分)　900 円
Ⓘ978-4-05-204988-0　Ⓝ908.3

きたむら さとし

〈ミリーのすてきなぼうし〉
(光村)「こくご たんぽぽ 二上」 2015, 2020, 2024

『ミリーのすてきなぼうし』
きたむらさとし作

内容 おきにいりのぼうしがほしいミリーですが、おかねをもっていません。でも、ミリーはとびきりすてきなぼうしをてにいれました。ミリーだけのとくべつなぼうし！そのぼうしとは…。

BL出版　2009.6　1冊　29×24cm　1500円
Ⓘ978-4-7764-0363-0　Ⓝ726.6

木下 順二　きのした じゅんじ

〈ききみみずきん〉

(三省堂)「小学生の国語 三年」 2011, 2015

『ききみみずきん』

木下順二文，初山滋絵

岩波書店　1984.11　1冊　30cm　（大型絵本）　1000円

『ききみみずきん』

木下順二著，初山滋画

内容 おじいさんおばあさんから代々語りつたえられてきた日本民話のなかから，働きものの若者と娘を主人公にした２編「ききみみずきん」「うりこひめとあまんじゃく」を選んで，美しい絵本にしました

岩波書店　2007.9　62p　21cm　（岩波の子どもの本）640円
Ⓘ4-00-115118-9　Ⓝ913.6

『わらしべ長者―日本の民話二十二編　新装版』〔関連図書〕

木下順二作

目次 かにむかし，ツブむすこ，こぶとり，腰折れすずめ，ガニガニコソコソ，見るなのざしき，豆コばなし，わらしべ長者，大工と鬼六，あとかくしの雪，瓜コ姫コとアマンジャク，ききみみずきん，なら梨とり，うばっ皮，木竜うるし，みそ買い橋，たぬきと山伏，びんぼうがみ，山のせいくらべ，彦市ばなし，三年寝太郎，天人女房

岩波書店　2003.5　357p　20cm　（岩波世界児童文学集）
Ⓘ4-00-115715-2，4-00-204174-3（シリーズ）（set）Ⓝ388.1

『日本民話選』〔関連図書〕

木下順二著

目次 ツブむすこ，大工と鬼六，なら梨とり，うばっ皮，あとかくしの雪，か

にむかし―さるかに，こぶとり，たぬきと山伏，みそ買い橋，木竜うるし，瓜コ姫コとアマンジャク，ききみみずきん，天人女房

岩波書店 1989.4 257p 18cm （岩波少年文庫） 553円
Ⓘ4-00-112068-2 Ⓝ913.6

キム・セシル

〈うさぎのさいばん〉

（三省堂）「小学生の国語 三年」 2011, 2015

『うさぎのさいばん』

キム・セシル文，ハンテヒ絵，かみやにじ訳

内容 とらが人を食べるのは正しいことか…？うさぎがくだした判決は？ハラハラドキドキ、わっはっはの韓国・朝鮮の昔話。

少年写真新聞社 2005.2 1冊 26×26cm 1500円
Ⓘ4-87981-192-0 Ⓝ726.6

木村 信子 きむら のぶこ

〈ぼくんち〉

（三省堂）「小学生の国語 三年」 2011, 2015

『時間割にない時間―木村信子詩集』

木村信子著

目次 1（わたしがいる，雲が通る ほか），2（ぼくんち，こんないい天気なのに ほか），3（熱坊主，ねむれない夜 ほか），4（たつのおとしご，かかし ほか），5（塩鮭，なっとう ほか）

かど創房 1983.7 101p 21cm （創作文学シリーズ詩歌） 1300円
Ⓘ4-87598-017-5 Ⓝ911.56

木村 裕一　きむら ゆういち

〈あらしの夜に〉

(学図)「みんなと学ぶ 小学校国語 三年上」 2011, 2015, 2020

『あらしのよるに』

木村裕一作，あべ弘士絵

内容 荒れ狂った嵐の夜、壊れかけた小屋で、嵐を避けて飛び込んできたヤギとオオカミがハチ合わせ。小屋の中はまっ暗。おまけにお互いカゼをひいて鼻もきかない。2匹はおしゃべりをしていくうちに…。

講談社　1994.10　1冊　20×16cm　（りとる 2）　1000円

Ⓘ4-06-252852-5　Ⓝ913.6

『あらしのよるに』

きむらゆういち，あべ弘士著

講談社　2000.7　1冊　25cm　（あらしのよるにシリーズ 大型版 1）　1400円

Ⓘ4-06-210293-5　Ⓝ913.6

『あるはれたひに』〔シリーズ〕

木村裕一作，あべ弘士絵

内容 だーいすきなごちそうと、おともだちになっちゃったら、どうする？ふたりっきりでいるうちに、どんどんおなかがすいてきて、おいしそうなにおいが鼻をかすめたら…？「あらしのよるに」の、つぎのひのおはなし。

講談社　1996.6　1冊　20×16cm　（あらしのよるにシリーズ 2）　1000円

Ⓘ4-06-252870-3　Ⓝ913.6

『くものきれまに』〔シリーズ〕

木村裕一作，あべ弘士絵

内容 友だちになったヤギのメイとオオカミのガブ。二人はこっそりと待ち合わせたのに、そこにメイの友だちのヤギ3びきが現れた。大好きなごちそうにしか見えないガブは…。ドキドキする状況をユーモアたっぷりに描く。

講談社　1997.10　46p　20cm　1000円

Ⓘ4-06-252874-6　Ⓝ913.6

『きりのなかで』〔シリーズ〕

木村裕一作，あべ弘士絵

内容 オオカミのガブは、きれいな月を見せてあげるとヤギのメイを谷に招待した。しかし、谷には大喰らいのオオカミたちがいて、おまけに霧も濃くなってきた。早くメイを見つけないと、オオカミにメイが食べられてしまうかも…。

講談社　1999.3　48p　20cm　1000円
Ⓘ4-06-252875-4　Ⓝ913.6

『どしゃぶりのひに』〔シリーズ〕

木村裕一作，あべ弘士絵

内容 ヤギのメイとオオカミのガブ。嵐の夜に真っ暗な小屋の中で出会った二匹は、相手がだれだかわからないまま、秘密の友だちになっていた。ところが、それが仲間にばれて、引き離されてしまい…。ヤギとオオカミのおはなし第5弾。

講談社　2000.5　48p　20cm　1000円
Ⓘ4-06-252876-2　Ⓝ913.6

『ふぶきのあした』〔シリーズ〕

木村裕一作，あべ弘士絵

内容 仲間たちの目の前で、ともに川の中に姿を消したヤギのメイとオオカミのガブ。裏切り者として追われることになった2ひきの、禁断の友情の結末はどうなる？シリーズ完結編。

講談社　2002.2　1冊　20cm　1000円
Ⓘ4-06-252877-0　Ⓝ913.6

『まんげつのよるに』〔シリーズ〕

木村裕一作，あべ弘士絵

内容 大好きな友だちが変わってしまって、それまでのことをすべて忘れてしまっていたら…？オオカミのガブとヤギのメイがたどりついたのは、希望の森か、それとも哀しみのはてなのか。2匹の友情のゆくえは…?。

講談社　2005.11　64p　20cm　1000円
Ⓘ4-06-252878-9　Ⓝ913.6

『光村ライブラリー 第7巻 《つり橋わたれ―ほか》』

長崎源之助，安房直子，木村裕一著，徳田秀雄ほか挿画

内容 つり橋わたれ（長崎源之助作，徳田秀雄絵），ねずみの作った朝ごはん（安房直子作，柳田明子絵），あらしの夜に（木村裕一作，あべ弘士絵），うぐいす

の宿（村上幸一絵），解説 楽しみながらつける「読む力」（中西一弘著）

光村図書出版　2002.3　77p　22cm　1000円
Ⓘ4-89528-105-1　Ⓝ908

草野 心平　くさの しんぺい

〈春のうた〉

（学図）「みんなと学ぶ 小学校国語 三年下」 2011

『げんげと蛙　4版』

草野心平詩

内容 版が違うものあり

銀の鈴社　2015.7（2刷）　143p　22cm　（ジュニアポエムシリーズ 20）　2200円
Ⓘ978-4-87786-263-3　Ⓝ911.56

『大人になるまでに読みたい15歳の詩 6 《わらう》』

谷川俊太郎巻頭文，蜂飼耳編・エッセイ

目次 巻頭文 詩への入りかた（谷川俊太郎），ちょっと苦くて（着物（石垣りん），ほほえみ（谷川俊太郎）ほか），人々のなかで（動物園の珍しい動物（天野忠），必敗者（鮎川信夫）ほか），なんでもないことのようで（わらひます（北原白秋），春のうた（草野心平）ほか），晴れる心（太陽（西脇順三郎），小さなリリーに（川崎洋）ほか），エッセイ おもしろいことがいっぱい（蜂飼耳）

ゆまに書房　2017.12　238p　19cm　1500円
Ⓘ978-4-8433-5216-8　Ⓝ908.1

『草にすわる』

市河紀子選詩，保手濱拓絵

目次 草にすわる（八木重吉），ひかる（工藤直子），春のうた（草野心平），さくらのはなびら（まど・みちお），葬式（工藤直子），声（吉原幸子），ぺんぎんの子が生まれた（川崎洋），薔薇二曲（北原白秋），地球の用事（まど・みちお），ゆずり葉（河井酔茗）〔ほか〕

内容 3.11後、平熱の選詩集。

理論社　2012.4　93p　18×14cm　1400円
Ⓘ978-4-652-07990-4　Ⓝ911.568

くさの

『新・詩のランドセル 4 ねん』

江口季好，小野寺寛，菊永謙，吉田定一編

目次 1 ぼくが生まれたとき（こどもの詩（新しいふとん（栗田暁光），はなし（坂井誠）ほか），おとなの詩（ぶどう（野呂昶），春のうた（草野心平）ほか）），2 いやなこと言わないで（こどもの詩（桃の花（内野裕），ともみちゃん（相馬和香子）ほか），おとなの詩（廃村（谷萩弘人），夕立ち（工藤直子）ほか））

内容 小学校での詩の教育は、詩を読むこと、詩を味わうこと、詩を書くことです。詩をたくさん読んでいくと、詩とは高尚な言葉で思いをつづるのではなく、自分の感じたこと、思ったことを自分の言葉で易しく書くことだ、ということが分かります。「新・詩のランドセル」を使って、全国の小学校の教室で、詩を読み、詩を味わい、詩を書く活動が活発に行われるようにしましょう。

らくだ出版　2005.1　129p　21×19cm　2200円
Ⓘ4-89777-418-7　Ⓝ911.568

『幼い子の詩集 パタポン 2』

田中和雄編

目次 春のうた（草野心平），ガイコツ（川崎洋），ボートは川を走っていく（クリスティナ・ロセッティ），水はうたいます（まど・みちお），島（A.A. ミルン），くるあさごとに（岸田衿子），親父とぼくが森の中で（デイヴィッド・マッコード），クロツグミ（高村光太郎），もしも春が来なかったら（与田準一），朝がくると（まど・みちお）〔ほか〕

童話屋　2002.11　157p　15cm　1250円
Ⓘ4-88747-029-0　Ⓝ908.1

〈ゆき〉

(光村)「国語 あおぞら 三下」 2015

『草野心平』

萩原昌好編，秦好史郎画

目次 秋の夜の会話，ヤマカガシの腹の中から仲間に告げるゲリゲの言葉，えぼ，おれも眠ろう，春殖，ぐりまの死，ごびらっふの独白，青い水たんぼ，エレジーあるもりあおがえるのこと，石〔ほか〕

内容 「蛙の詩人」「天の詩人」「富士山の詩人」などさまざまな異名を持つ詩人、草野心平。その独自の世界観とリズミカルな言葉を味わう。味わい、理解を深めるための名詩入門。

あすなろ書房　2012.5　103p　20×16cm　（日本語を味わう名詩入門 12）　1500円
Ⓘ978-4-7515-2652-1　Ⓝ911.568

『草野心平詩集』

草野心平著，入沢康夫編

内容 独特の宇宙的感覚と多彩な技巧によって、存在の愛（かな）しさをうたう草野心平。「定本蛙」「絶景」をはじめ全詩集より傑作を精選。

岩波書店　1991.11　455p　15cm　（岩波文庫）　720円
Ⓘ4-00-311311-X　Ⓝ911.56

『おぼえておきたい日本の名詩100』

水内喜久雄編著

目次 1897～1945（山林に自由存す（国木田独歩），初恋（島崎藤村），星と花（土居晩翠），小諸なる古城のほとり（島崎藤村），君死にたまふことなかれ（与謝野晶子）ほか），1945～（生ましめんかな（栗原貞子），北の春（丸山薫），ゆき（草野心平），戦争（金子光晴），るす（高橋新吉）ほか）

内容 80人の詩人による、100篇の詩を収録。

たんぽぽ出版　2003.2　199p　21cm　2000円
Ⓘ4-901364-29-4　Ⓝ911.568

くすのき しげのり

〈メロディ―大すきなわたしのピアノ〉

(光村)「国語 あおぞら 三下」 2024

『メロディ―だいすきなわたしのピアノ』

くすのきしげのり作，森谷明子絵

内容 （だれがひいてくれるのかしら）くるひもくるひもまちつづけるピアノのまえにあるひちいさなおんなのこがあらわれました。「このピアノがきにいったかな？」「このピアノもわたしのことがだいすきみたい‼」おんなのこはピアノに「メロディ」となまえをつけました。（わたしはせかいでいちだいだけのなまえのあるピアノ）メロディは、うれしくてたまりませんでした。うれしいことがあったとき、かなしいことがあったとき、おんなのこは、いつもメロディをひきました。でも、おんなのこがちゅうがくせいになり、こうこうせいになると、メロディとすごすじかんがだんだんとすくなくなり…この絵本を世界中のピアノと、ピアノを愛するすべての人に贈ります。

ヤマハミュージックメディア　2012.3　1冊　22×27cm　1300円
Ⓘ978-4-636-87087-9　Ⓝ913.6

工藤 直子　くどう なおこ

〈いきもの〉

(学図)「みんなと学ぶ 小学校国語 三年下」 2015, 2020

『おまじない』

工藤直子詩，長新太絵

目次 あいさつ，たんじょうび，じゃんけんぽん，おれはかまきり，さんぽ，やまのこもりうた，きのうえで，いきもの，いのち，かたつむりぷんぷん〔ほか〕

内容 『現代日本童謡詩全集』（全二十二巻）は、第二次大戦後に作られた数多くの童謡から、「詩」としてのこった作品の、作者別集大成です。一九七五年刊行の初版（全二十巻）は、画期的な出版と評価され、翌年「第六回赤い鳥文学賞」を受けました。詩の世界に新しい灯をともした有力な詩人、画家の登場を得、親しまれている曲の伴奏譜を収めて巻数をふやし、出典などの記録も可能なかぎり充実させて、時代にふさわしい新装版。

国土社　2002.12　77p　24×22cm　（現代日本童謡詩全集 1）　1600 円
Ⓘ4-337-24751-3　Ⓝ911.58

『工藤直子』

萩原昌好編，おーなり由子画

目次 こどものころにみた空は，風景，いきもの，麦，夕焼け，ひかる，みえる，花，海の地図，うみとなみ くじら作・子守歌のような詩〔ほか〕

内容 すぐれた詩人の名詩を味わい、理解を深めるための名詩入門シリーズです。麦や、みみずなど、さまざまなものになりきって、読み手に語りかける、ユニークな詩風で知られる詩人、工藤直子。その、ユーモアの奥に光る真理を、やさしく解き明かします。

あすなろ書房　2013.12　103p　20×16cm　（日本語を味わう名詩入門 18）　1500 円
Ⓘ978-4-7515-2658-3　Ⓝ911.568

『工藤直子全詩集』

工藤直子著，伊藤英治，市河紀子編

目次 詩 1・未発表詩 / 私家版 一九五〇～一九七四，詩 2 一九七五～二〇二二，詩 3・のはらうた 一九八三～二〇二二，詩 4・俳句 二〇一〇～

二〇二二，小さい頃出会った、コトバたちが…

内容 長年コトバを愛しコトバと遊びつづけてきた詩人工藤直子からの贈りもの―。全詩作品1100編余を発表順に収録。「椿」「夢」「悲しみって…」など、中学高校時代に書いた詩から現在まで、うち「のはらうた」全350編余（作者名索引掲載）。

理論社　2023.7　719，49p　9000円
Ⓘ978-4-652-20566-2　Ⓝ911.56

〈おいわい（のはらうた）〉

（光村）「こくご ともだち 一下」2024

『版画 のはらうた 2』

くどうなおこ詩，ほてはまたかし画

内容 ごしごしごし ただいま ちきゅうを せんたくちゅう ああ いそがしいそがし。好評の第1集「版画のはらうた」刊行後に制作した「のはらうたカレンダー」原画を中心に、新作10点を加えて編集。魅力的な詩画集。

童話屋　1996.8　109p　16×16cm　1350円
Ⓘ4-924684-88-0　Ⓝ911.56

〈かたつむりのゆめ（のはらうた）〉

（光村）「こくご ともだち 一下」 2020, 2024

『のはらうた 2』

工藤直子著

目次 あさのひととき つゆくささやか，ともだち だいちさくのすけ，ほしのこもりうた ほしますみ，きぼう みみずみつお，おとな おかさちこ，おつかいこだぬきしんご，はなひらく のばらめぐみ，せかいいち こうしたろう，おしらせ うさぎふたご，けっしん かぶとてつお〔ほか〕

童話屋　1985.5　153p　16cm　1250円

Ⓘ4-924684-28-7　Ⓝ911.56

『のはらうた 1』〔シリーズ〕

工藤直子著

目次「し」をかくひ かぜみつる，はるがきた うさぎふたご，ひるねのひ すみれほのか，ゆきどけ こぶなようこ，おがわのマーチ ぐるーぷ・めだか，はなのみち

あげはゆりこ，おと いけしずこ，でたりひっこんだり かたつむりでんきち，いのち けやきだいさく，あいさつ へびいちのすけ〔ほか〕

童話屋　1984.5　155p　16cm　1250円
Ⓘ4-924684-21-X　Ⓝ911.56

『のはらうた 3』〔シリーズ〕

工藤直子作

目次 ブランコ，ためいき，ひなたぼっこ，こやぎマーチ，ねがいごと〔ほか〕

童話屋　1987.7　153p　15cm　950円
Ⓘ4-924684-41-4　Ⓝ911.56

『のはらうた 4』〔シリーズ〕

くどうなおこ，のはらみんな著

目次 ひなたぼっこ―こねずみしゅん，あしたこそ―たんぽぽはるか，しっぽバイバイ―おたまじゃくしわたる，まっすぐについて―いのししぶんた，すみれいろこもりうた―すみれほのか，くまさんのひび―こぐまじろう，たたたん・ぴょん―うさぎふたご，どっこいしょ―きりかぶさくぞう，めだか・がっしょうだん―ぐるーぷ・めだか，ゆめみるかげろう―かげろうたつのすけ〔ほか〕

童話屋　2000.11　153p　15cm　1250円
Ⓘ4-88747-013-4　Ⓝ911.56

『のはらうた 5』〔シリーズ〕

くどうなおこ詩

内容 のはらむらの詩人たちはみんな成長して考え深く、賢くなりましたが、人間の大人とちがうのは、どんなに成長しても、物を見る目に曇りがないことです。子どもの心のように、いきいきと真実のありかをみつめています。第5巻には58編を収録。

童話屋　2008.7　155p　15cm　1250円
Ⓘ978-4-88747-083-5　Ⓝ911.56

『工藤直子』

萩原昌好編，おーなり由子画

目次 こどものころにみた空は，風景，いきもの，麦，夕焼け，ひかる，みえる，花，海の地図，うみとなみ くじら作・子守歌のような詩〔ほか〕

内容 すぐれた詩人の名詩を味わい、理解を深めるための名詩入門シリーズです。麦や、みみずなど、さまざまなものになりきって、読み手に語りかける、ユニークな詩風で知られる詩人、工藤直子。その、ユーモアの奥に光る真理を、やさしく解き明かします。

あすなろ書房　2013.12　103p　20×16cm　（日本語を味わう名詩入門 18）　1500円
Ⓘ978-4-7515-2658-3　Ⓝ911.568

『工藤直子全詩集』

工藤直子著，伊藤英治，市河紀子編

目次 詩1・未発表詩/私家版 一九五〇～一九七四，詩2 一九七五～二〇二二，詩3・のはらうた 一九八三～二〇二二，詩4・俳句 二〇一〇～二〇二二，小さい頃出会った、コトバたちが…

内容 長年コトバを愛しコトバと遊びつづけてきた詩人工藤直子からの贈りもの―。全詩作品1100編余を発表順に収録。「椿」「夢」「悲しみって…」など、中学高校時代に書いた詩から現在まで、うち「のはらうた」全350編余（作者名索引掲載）。

理論社　2023.7　719, 49p　9000円
Ⓘ978-4-652-20566-2　Ⓝ911.56

〈すいせんのラッパ〉

（東書）「新しい国語 三上」 2011, 2015, 2020, 2024

『おいで、もんしろ蝶』

工藤直子作，佐野洋子絵

目次 ふきのとう，ねむる梅・猫，うめの花とてんとうむし，すいせんのラッパ，春・ぽちり，春の友だち，菜の花の発表会，ちいさなはくさい，とかげとぞう，おいで、もんしろ蝶，子猫のさんぽ，いつかいつかある日，ぼくの中をあの子がとおる，ゆれる少女たち（どこ？どこ?，もういいかい，おおきくなったら，もうひとりの「わたし」が，けさ、鏡をみたら）

内容 ふきのとうは雪のしたでふんばり、梅の木しみじみ、じいさんをおもう。てんとうむしはマフラーをもらい、こねこはお月さまにだっこしてもらった。そして、あんなふうだったり、こんなふうだったりするたくさんのおんなの子たち。「しぜん」と「ひと」と…おなじたましいがひびきあう童話集。小学校国語教科書に出てくる本。

理論社　2013.3　150p　21×16cm　（名作童話集）　1500円
Ⓘ978-4-652-20006-3　Ⓝ913.6

『おいで、もんしろ蝶』

工藤直子著，佐野洋子絵

目次 ふきのとう，ねむる梅・猫，うめの花とてんとうむし，すいせんのラッパ，春・ぽちり，春の友だち，なのはなようちえんのはっぴょうかい，ちいさなはくさい，とかげとぞう〔ほか〕

内容 少女だったころの心のドキドキに、もういちど出会いたい。工藤直子詩集。小学校低学年以上。

筑摩書房　1987.12　148p　21cm　1000円
Ⓘ4-480-88085-2　Ⓝ913.6

〈とかげとぞう〉

(光村)「国語　わかば 三上」 2020

『おいで、もんしろ蝶』

工藤直子作，佐野洋子絵

目次 ふきのとう，ねむる梅・猫，うめの花とてんとうむし，すいせんのラッパ，春・ぽちり，春の友だち，菜の花の発表会，ちいさなはくさい，とかげとぞう，おいで、もんしろ蝶，子猫のさんぽ，いつかいつかある日，ぼくの中をあの子がとおる，ゆれる少女たち（どこ？どこ？，もういいかい，おおきくなったら，もうひとりの「わたし」が，けさ、鏡をみたら）

内容 ふきのとうは雪のしたでふんばり、梅の木しみじみ、じいさんをおもう。てんとうむしはマフラーをもらい、こねこはお月さまにだっこしてもらった。そして、あんなふうだったり、こんなふうだったりするたくさんのおんなの子たち。「しぜん」と「ひと」と…おなじたましいがひびきあう童話集。小学校国語教科書に出てくる本。

理論社　2013.3　150p　21×16cm　（名作童話集）　1500円
Ⓘ978-4-652-20006-3　Ⓝ913.6

〈はちみつのゆめ（のはらうた）〉

(光村)「こくご ともだち 一下」 2020

『のはらうたわっはっは』

くどうなおことのはらみんな作

内容 今年はのはら村がうまれて20年目。こぶたはなこさん、こりすすみえさん、ふくろうげんぞうさん、こねずみしゅんくん…。のはらみんなのだいりにん、くどうなおこが野原の詩人をたずねて「のはらうた」をうたいます。詩集。

童話屋　2005.2　157p　16cm　1700円
Ⓘ4-88747-043-6　Ⓝ911.56

『あっぱれのはらうた』

くどうなおこ詩・文，ほてはまたかし絵

目次 「し」をかくひ（かぜみつる），とおりすがりに（かぜみつる），ぼくの夢（かぜみつる），おと（いけしずこ），えがお（いけしずこ），ドーナツ・めいそう（いけしずこ），はなのみち（あげはゆりこ），うまれたて（あげはゆりこ），ある日のあげはゆりこさん（あげはゆりこ），にらめっこ（いしころかずお）〔ほか〕

内容 くどうなおこのあっぱれ自慢ばなし。かまきりりゅうじはじめのはらむらの詩人24人の書下ろしエッセーと名詩48編。

童話屋　2014.5　158p　19cm　1800円
Ⓘ978-4-88747-121-4　Ⓝ911.56

『わっしょい のはらむら』

くどうなおこ詩・絵

目次 「し」をかくひ かぜみつる，どんぐり こねずみしゅん，あきのそら こねずみしゅん，いのち けやきだいさく，ひかりとやみ ふくろうげんぞう，おいで ふくろうげんぞう，くぬぎ・じかん くぬぎみつひこ，みらい やまばとひとみ，えへん！くりのみしょうへい，まっすぐについて いのししぶんた〔ほか〕

童話屋　2010.8　133p　15cm　1450円
Ⓘ978-4-88747-103-0　Ⓝ911.56

『工藤直子全詩集』

工藤直子著，伊藤英治，市河紀子編

目次 詩1・未発表詩／私家版 一九五〇～一九七四，詩2 一九七五～二〇二二，詩3・のはらうた 一九八三～二〇二二，詩4・俳句 二〇一〇～二〇二二，小さい頃出会った、コトバたちが…

内容 長年コトバを愛しコトバと遊びつづけてきた詩人工藤直子からの贈りもの—。全詩作品1100編余を発表順に収録。「椿」「夢」「悲しみって…」など、中学高校時代に書いた詩から現在まで、うち「のはらうた」全350編余（作者名索引掲載）。

理論社　2023.7　719，49p　9000円
Ⓘ978-4-652-20566-2　Ⓝ911.56

※『のはらうた』シリーズはp73も参照してください

〈ピンときた！(のはらうた)〉

三省堂 「しょうがくせいのこくご 一年下」 2011, 2015

『のはらうた 3』

工藤直子作

目次 ブランコ，ためいき，ひなたぼっこ，こやぎマーチ，ねがいごと，ピンときた！〔ほか〕

童話屋 1987.7 153p 15cm 950円
Ⓘ4-924684-41-4 Ⓝ911.56

※『のはらうた』シリーズは p73 も参照してください

『わっしょい のはらむら』

くどうなおこ詩・絵

目次 「し」をかくひ かぜみつる，どんぐり こねずみしゅん，あきのそら こねずみしゅん，いのち けやきだいさく，ひかりとやみ ふくろうげんぞう，おいで ふくろうげんぞう，くぬぎ・じかん くぬぎみつひこ，みらい やまばとひとみ，えへん！くりのみしょうへい，まっすぐについて いのししぶんた〔ほか〕

内容 「のはらうた」シリーズの中から選んだ詩とともに、こねずみしゅんくんや、ふくろうげんぞうさんなど、著者が描いた「のはら村」の愉快な仲間たちのイラストを収録。

童話屋 2010.8 133p 15cm 1450円
Ⓘ978-4-88747-103-0 Ⓝ911.56

『工藤直子全詩集』

工藤直子著，伊藤英治，市河紀子編

目次 詩1・未発表詩/私家版 一九五〇～一九七四，詩2 一九七五～二〇二二，詩3・のはらうた 一九八三～二〇二二，詩4・俳句 二〇一〇～二〇二二，小さい頃出会った、コトバたちが…

内容 長年コトバを愛しコトバと遊びつづけてきた詩人工藤直子からの贈りもの—。全詩作品1100編余を発表順に収録。「椿」「夢」「悲しみって…」など、中学高校時代に書いた詩から現在まで、うち「のはらうた」全350編余（作者名索引掲載）。

理論社 2023.7 719, 49p 9000円
Ⓘ978-4-652-20566-2 Ⓝ911.56

〈ふきのとう〉

(光村)「こくご たんぽぽ 二上」 2011, 2015, 2020, 2024

『だれにあえるかな』

工藤直子作，ほてはまたかし絵

目次 だれにあえるかな，ふきのとう，うめの花とてんとうむし，子ねこのさんぽ，小さなはくさい，夕日の中を走るライオン，おいで、もんしろちょう，ねむるうめ・ねこ

岩崎書店 1997.4 85p 22×19cm (日本の名作童話 24) 1500円
Ⓘ4-265-03774-7 Ⓝ913.68

『おいで、もんしろ蝶』

工藤直子作，佐野洋子絵

目次 ふきのとう，ねむる梅・猫，うめの花とてんとうむし，すいせんのラッパ，春・ぽちり，春の友だち，菜の花の発表会，ちいさなはくさい，とかげとぞう，おいで、もんしろ蝶，子猫のさんぽ，いつかいつかある日，ぼくの中をあの子がとおる，ゆれる少女たち（どこ？どこ？，もういいかい，おおきくなったら，もうひとりの「わたし」が，けさ、鏡をみたら）

内容 ふきのとうは雪のしたでふんばり、梅の木しみじみ、じいさんをおもう。てんとうむしはマフラーをもらい、こねこはお月さまにだっこしてもらった。そして、あんなふうだったり、こんなふうだったりするたくさんのおんなの子たち。「しぜん」と「ひと」と…おなじたましいがひびきあう童話集。小学校国語教科書に出てくる本。

理論社 2013.3 150p 21×16cm (名作童話集) 1500円
Ⓘ978-4-652-20006-3 Ⓝ913.6

『おいで、もんしろ蝶』

工藤直子著，佐野洋子絵

目次 ふきのとう，ねむる梅・猫，うめの花とてんとうむし，すいせんのラッパ，春・ぽちり，春の友だち，なのはなようちえんのはっぴょうかい，ちいさなはくさい，とかげとぞう〔ほか〕

内容 少女だったころの心のドキドキに、もういちど出会いたい。工藤直子詩集。小学校低学年以上。

筑摩書房 1987.12 148p 21cm 1000円
Ⓘ4-480-88085-2 Ⓝ913.6

幸島 司郎　こうしま しろう

〈イルカのねむり方〉

(光村)「国語 わかば 三上」 2011

『光村の国語 くらべて、かさねて、読む力 三・四年生』

高木まさき，森山卓郎監修，青山由紀，深沢恵子編

目次 文学的な文章（ぽけっとや―林原玉枝・作、はらだたけひで・絵，つり橋わたれ―長崎源之助・作、徳田秀雄・絵，えんぴつびな―長崎源之助・作、長谷川知子・絵，へらない稲たば―李錦玉・作、朴民宜・絵，ソメコとオニ―斎藤隆介・作、滝平二郎・絵，手ぶくろを買いに―新美南吉・作、小野千世・絵），説明的な文章（たこたこあがれ―広井力・文，イルカのねむり方―幸島司郎・文、寺越慶司・絵，新聞記事を読みくらべよう‐羽生選手はどんな人？―本田佳子・文，「ことわり方」を考えてみる―森山卓郎・文，海と川を行き来するウナギ―海部健三・文）

光村教育図書　2014.12　63p　27×22cm　3200円
Ⓘ978-4-89572-928-4　Ⓝ817.5

こうや すすむ

〈どんぐり〉

(学図)「みんなと学ぶ 小学校こくご 二年下」 2015, 2020

『どんぐり』

こうやすすむ作

福音館書店　1983（初版 1988.5）27p 26×24cm（かがくのとも傑作集 35）1100円
Ⓘ978-4-8340-0773-2　Ⓝ657.85

香山 美子　こうやま よしこ

〈ちいさいおおきい〉

(教出)「ひろがることば 小学国語 二下」 2011 「ひろがることば 小学国語 二上」 2020, 2024

『ちいさい おおきい―香山美子詩集』

香山美子詩，かさいまり絵

目次 そらとぶくじら，おはなしゆびさん，なぞなぞ，ひつじのぐるぐる，ぼくのむねは，春のしたく

内容 このゆびパパ、ふとっちょパパ…「おはなしゆびさん」の作詞者、初の自選詩集。半世紀にわたって磨きぬかれた、ほんとうに美しい日本語を、こどもたちに、あなたに―。

チャイルド本社　2004.11　177p　18×16cm　1600円
Ⓘ4-8054-2609-8　Ⓝ911.56

『おはなしゆびさん』

香山美子著

目次 ぼくのカレンダー，タンポポをとりました，あるこうよ，うさぎさんどっち，くまのおかあさん，山のワルツ，きるきるきる，スリッパ，大きな木，おひるねのゆめ〔ほか〕

国土社　1982.5　78p　21cm　(国土社の詩の本 16)　1359円
Ⓘ4-337-24716-5　Ⓝ911.58

『おはなしゆびさん』

香山美子詩，杉浦範茂絵

目次 ぼくのカレンダー，タンポポをとりました，あるこうよ，うさぎさんどっち，くまのおかあさん，山のワルツ，きるきるきる，スリッパ，大きな木，おひるねのゆめ〔ほか〕

内容 ぼくのカレンダー タンポポをとりました あるこうよ くまのおかあさん 山のワルツ おはなしゆびさん げんこつ山のたぬきさん…。香山美子の童謡詩 31 編を収録。童謡詩を作家別に集大成したシリーズ。再刊。

国土社　2003.2　77p　25×22cm　(現代日本童謡詩全集 5)　1600円
Ⓘ4-337-24755-6　Ⓝ911.58

『おはなしゆびさん』

香山美子詞，くすはら順子構成・製作

内容 たのしいパパは、おやゆび。やさしいママは、ひとさしゆび。おおきいにいさんは、なかゆび。おしゃれなねえさんは、くすりゆび。ちいさいあかちゃんは、なにゆびでしょう？「おはなしゆびさん」のうたが、えほんになりました。いっしょにうたえるよう、がくふもついています。「おはなしゆびさん」の歌を、指人形で表現した、楽しい絵本。裏表紙に楽譜付き。

チャイルド本社　2021.6　19p　18cm　（はじめましてのえほん Vol.15-3）　491円
Ⓘ978-4-8054-5281-3　Ⓝ767.7

〈どうぞのいす〉

（三省堂）「しょうがくせいのこくご 一年上」　2011, 2015

『どうぞのいす』

香山美子さく，柿本幸造え

チャイルド本社　2005.6　39p　50×45cm
（大きな大きな絵本〈6〉）　9500円
Ⓘ978-4-8054-2607-1　Ⓝ726.6

『どうぞのいす』

香山美子作，柿本幸造絵

内容 うさぎさんが、ちいさないすをつくって、のはらのきのしたにおきました。そのそばに「どうぞのいす」とかいたたてふだもたてました。あるひ、ろばさんが、どんぐりのはいったかごをおいて、ひるねをしているうちに…。

ひさかたチャイルド　2007.4　32p　25cm　1000円
Ⓘ978-4-89325-250-0　Ⓝ913.6

『教科書にでてくるお話 1年生』

西本鶏介監修

目次 どうぞのいす（香山美子），ぴかぴかのウーフ（神沢利子），おおきなかぶ（トルストイ），おむすびころりん（西本鶏介），てがみ（森山京），しましま（森山京），はじめは「や！」（香山美子），つきよに（安房直子），たぬきのいとぐるま（木暮正夫），ねずみのすもう（大川悦生），1ねん1くみ1ばんワル（後藤竜二）

内容 現在使われている各社の国語教科書に掲載または紹介されている作品ばかりを集めたアンソロジーです。長く読みつがれている名作、心あたたまるお話、おもしろくて元気がでるお話など、すばらしい作品がいっぱい。作品の表記は原典に忠実にし、全文を掲載しています。教科書では気づかなかった作品の魅力を、新たに発見できるかもしれません。小学校初・中級から。

ポプラ社　2006.3　190p　18cm　（ポプラポケット文庫）　570円
Ⓘ4-591-09167-8　Ⓝ913.68

『どくしょのじかんによむ本 2 《小学1年生》』

西本鶏介編

目次 たんぽぽのサラダ（立原えりか），きょうはなんてうんがいいんだろう（宮西達也），どうぞのいす（香山美子），やさしいライオン（やなせたかし），かえりみち（あまんきみこ），きつねとぶどう（坪田譲治），すなばのだいぼうけん（いとうひろし），おはじきぱっちん（矢崎節夫），るすばんの夜のこと（大石真），こみち（もりやまみやこ）

内容 むねがワクワクする話、おもわずわらっちゃう話、こころにジーンとくる話…楽しいお話がいっぱい！いま注目の「朝の読書朝読」に最適の読書入門。よんでおきたい名作・傑作を、学年別に10編収録。

ポプラ社　2004.2　118p　21cm　700円
Ⓘ4-591-08000-5　Ⓝ913.68

『月ようびのどうわ』

日本児童文学者協会編

目次 どうぞのいす（香山美子），春のくまたち（神沢利子），うみへのながいたび（今江祥智），コスモス（森山京），すずめのてがみ（神戸淳吉），天にのぼったおけや（川村たかし），サラダでげんき（角野栄子），ハモニカじま（与田準一）

内容 言葉の力、自由で楽しい読書力がつくように、分解・分析でなくお話として楽しめるように、国語教科書に載った童話を集めて構成した7冊シリーズの1冊目。「どうぞのいす」などやさしくて面白い話ばかりを大活字で収載。

国土社　1998.3　99p　21cm　（よんでみようよ教科書のどうわ1しゅうかん 1）　1200円
Ⓘ4-337-09601-9　Ⓝ913

〈はじめは「や！」〉

（学図）「みんなとまなぶ しょうがっこうこくご 一ねん下」 2011, 2015, 2020

『はじめは「や！」』

香山美子作，むかいながまさ絵

ごとう

内容 くまさんがあるいていくと、きつねさんがあるいてきました。でも、ともだちじゃないふたりはだまってとおりすぎました。そのつぎも「…」そのつぎも「…」。

鈴木出版　1997.2　29p　26×21cm　(ひまわりえほんシリーズ)　1030円
Ⓘ4-7902-6076-3

『国語教科書にでてくる物語 1年生・2年生』

齋藤孝著

目次 1年生 (タヌキのじてんしゃ (東君平), おおきなかぶ (トルストイ), サラダでげんき (角野栄子), いなばの白うさぎ (福永武彦), しましま (森山京), はじめは「や!」(香山美子), まのいいりょうし (稲田和子・筒井悦子), ゆうひのしずく (あまんきみこ), だってだってのおばあさん (佐野洋子), ろくべえまってろよ (灰谷健次郎), 2年生 (ちょうちょだけになぜなくの (神沢利子), きいろいばけつ (森山京), 三まいのおふだ (瀬田貞二), にゃーご (宮西達也), きつねのおきゃくさま (あまんきみこ), スーホの白い馬 (大塚勇三), かさこじぞう (岩崎京子), 十二支のはじまり (谷真介), 泣いた赤おに (浜田廣介))

ポプラ社　2014.4　284p　18cm　(ポプラポケット文庫)　700円
Ⓘ978-4-591-13916-5　Ⓝ913.68

『齋藤孝の親子で読む国語教科書 1年生』

齋藤孝著

目次 タヌキのじてんしゃ (東君平), おおきなかぶ (トルストイ), サラダでげんき (角野栄子), いなばの白うさぎ (福永武彦), しましま (森山京), はじめは「や!」(香山美子), まのいいりょうし (稲田和子, 筒井悦子), ゆうひのしずく (あまんきみこ), だってだってのおばあさん (佐野洋子), ろくべえまってろよ (灰谷健次郎)

ポプラ社　2011.3　138p　21cm　1000円
Ⓘ978-4-591-12285-3　Ⓝ817.5

後藤 みわこ　ごとう みわこ

〈夏の宿題〉

(学図)「みんなと学ぶ 小学校国語 三年上」 2015

『スプラッシュ―元気がでる童話4年生』

日本児童文学者協会編, 尾崎曜子絵

目次 りやちゃんメール（村山早紀），ハーモニカ電車（大井美矢子），あきれた校長先生（信原和夫），かっぱハウス（池田美代子），春にむかって（勝節子），お笑いデイト（浦聖子），夏の宿題（後藤みわこ），より道（蒲原ユミ子），リストラなんてぶっとばせ（関谷ただし），びわの実の約束（うみのしほ），ドントコイ・パワー（中尾三十里），キャンプの朝（上坂和美），転校生はユーレー（田中みつこ），スプラッシュ（花形みつる）

内容 しっぱい、なやみ、コンプレックス。毎日いろいろあるけれど、元気をだして、すすんでいけば、だいじょうぶ！よめば、希望と勇気がわいてくる。生きる元気いっぱいの童話集。4年生向き。

ポプラ社　2002.4　158p　21cm　980円
Ⓘ 4-591-07202-9　Ⓝ 913.68

小松 義夫　こまつ よしお

〈人をつつむ形―世界の家めぐり〉

（東書）「新しい国語 三下」 2011, 2015, 2020

『世界あちこちゆかいな家めぐり』〔関連図書〕

小松義夫文・写真，西山晶絵

内容 著者がたずねてきた世界中の家と、その家でくらす人びとのようすを紹介。

福音館書店 1997（初版 2004.10）40p 26×20cm（たくさんのふしぎ傑作集）1300円
Ⓘ978-4-8340-2073-1　Ⓝ 383.9

西郷 竹彦　さいごう たけひこ

〈おおきなかぶ〉

（光村）「こくご かざぐるま 一上」 2011, 2015, 2020, 2024

『みんなが読んだ教科書の物語』

国語教科書鑑賞会編

目次 おおきなかぶ（ロシア民話、西郷竹彦・再話），くじらぐも（中川李枝子），チックとタック（千葉省三），花いっぱいになあれ（松谷みよ子），くまの子ウーフ（神沢利子），ろくべえまってろよ（灰谷健次郎），たんぽぽ（川崎洋），かさこ地ぞう（岩崎京子），ちいちゃんのかげおくり（あまんきみこ），モチモチの木（斎藤隆介）〔ほか〕

内容 大人になった今、読み返すと新しい発見がある！小学１年〜６年生の授業で習った名作がズラリ。

リベラル社，星雲社〔発売〕 2010.9 165p 21cm 1200円
Ⓘ978-4-434-14971-9 Ⓝ913.6

さいとう ひろし

〈おかゆのおなべ〉

（光村）「こくご ともだち 一下」 2020, 2024

『グリムどうわ 一年生』

斉藤洋編著

目次 おおかみと七ひきのこやぎ，くつやさんのこびと，きつねとねこ，いばらひめ，みそさざいとくま，みつばちの女王，おかゆのおなべ，大きいかぶ，のうふとあくま，ブレーメンのおんがくたい

内容 世界の子どもたちに読まれ、親しまれているグリム童話。みなさんも、もう知っている話があるかもしれませんね。ゆかいな話、ちょっとこわい話、うつくしい話。たくさんあるグリム童話のなかからぜひみなさんに読んでほしい話を、あつめました。

偕成社 2001.3 156p 21cm （学年別・新おはなし文庫） 780円
Ⓘ4-03-923020-5 Ⓝ943.6

『齋藤孝のピッカピカ音読館―想像力を広げる名作集』

齋藤孝編・監修

目次 『おかゆのおなべ』―グリムどうわより，『だんなも、だんなも、大だんなさま』―イギリスの昔話，『アナンシと五』―ジャマイカのみんわ，『星をもらった子』，『へびとおしっこ』，『だいくとおに』，『四季の詩』，『ほらばなし』，『ベロ出しチョンマ』

内容 外国のお話、日本のお話、四季の詩・他。リズムよく音読することで、「文字」→「言葉」→「文章」と段階的におもしろさを学んでいきます。小学校低学年向き。

小学館 2008.12 160p 21cm 950円
Ⓘ978-4-09-253095-9 Ⓝ913.68

斎藤 隆介　さいとう りゅうすけ

〈ソメコとオニ〉

(教出)「ひろがる言葉 小学国語 三下」 2011

『ソメコとオニ』

斎藤隆介作，滝平二郎絵

内容 ソメコがいなくなって、大さわぎしてさがしているソメコのお父ウのウチへ、オニから手紙がきた。

岩崎書店　1987.7　32p　25×22cm
(岩崎創作絵本 11)　980円
Ⓘ4-265-91111-0　Ⓝ913.6

『斎藤隆介童話集』

斎藤隆介著

目次 八郎，天上胡瓜，天の笛，ひいふう山の風の神，ソメコとオニ，ドンドコ山の子ガミナリ，一ノ字鬼，モチモチの木，三コ，死神どんぶら，春の雲，緑の馬，天狗笑い，もんがく，ベロ出しチョンマ，白猫おみつ，浪兵衛，毎日正月，腹ペコ熊，ひさの星，半日村，花咲き山，でえだらぼう，虹の橋，おかめとひょっとこ

内容 磔の刑が目前にもかかわらず、妹を笑わせるためにベロッと舌を出す兄の思いやりを描いた「ベロ出しチョンマ」、ひとりでは小便にも行けない臆病者の豆太が、じさまのために勇気をふるう「モチモチの木」などの代表作をはじめ、子どもから大人まで愉しめる全25篇を収録。真っ直ぐに生きる力が湧いてくる名作アンソロジー。

角川春樹事務所　2006.11　221p　15cm　(ハルキ文庫)　680円
Ⓘ4-7584-3262-7　Ⓝ913.6

『斎藤隆介全集 1 《短編童話 1》』

目次 八郎，ずいてん，カッパの笛，カブ焼き甚四郎，熊のしっぽはなぜ短い，天の笛，ひいふう山の風の神，ソメコとオニ，ドンドコ山の子ガミナリ，一ノ字鬼，こだま峠，猫山，モチモチの木，三コ，なんむ一病息災，おかめ・ひょっとこ，春の雲，緑の馬，立ってみなさい，王様のヒゲ，もう逃げない，東・太

郎と西・次郎，死神どんぶら，ユとムとヒ，おじいさんおばあさん，雪女，へや，ガムガン山，負け兎，天狗笑い，もんがく，にぎりめし，日のにおい

岩崎書店　2000.10　263p　23cm　3700円

Ⓘ4-265-03967-7　Ⓝ918.68

『ベロ出しチョンマ』

斎藤隆介作，滝平二郎画

目次 花咲き山，八郎，三コ，東・太郎と西・次郎，ベロ出しチョンマ，一ノ字鬼，毎日正月，モチモチの木，なんむ一病息災，ソメコとオニ，死神どんぶら，緑の馬，五郎助奉公，こだま峠，もんがく，浪兵衛，おかめ・ひょっとこ，白猫おみつ，天の笛，春の雲，ひばりの矢，ひいふう山の風の神，ドンドコ山の子ガミナリ，カッパの笛，天狗笑い，白い花，寒い母，トキ

内容 はりつけの刑にさた兄と妹。妹思いの兄長松は、死の直前ベロッと舌を出し、妹を笑わせようとした。

理論社　2004.2　238p　18cm　（フォア文庫愛蔵版）　1000円

Ⓘ4-652-07385-2　Ⓝ913.6

〈モチモチの木〉

（学図）「みんなと学ぶ 小学校国語 三年下」 2011, 2015, 2020 （教出）「ひろがる言葉 小学国語 三下」 2011, 2015, 2020, 2024 （光村）「国語 あおぞら 三下」 2011, 2015, 2020, 2024 （東書）「新しい国語 三下」 2015, 2020, 2024

『モチモチの木』

斎藤隆介著，滝平二郎画

内容 豆太は、夜中にひとりでおしっこにもいけない弱虫。でも、大好きなじさまのために…。真の勇気とは何かを問いかける感動の絵本

岩崎書店　1971.11　31p　29cm　（創作絵本 6）　1400円

Ⓘ4-265-90906-X　Ⓝ913.6

『モチモチの木』

斎藤隆介作，滝平二郎絵

内容 豆太とじさまが住んでいる小屋の前に立っているモチモチの木。木の実がおいしいけど、豆太は夜の木がおっかなくてしょうがない。ある晩、じさまの具合が悪くなり、豆太ははだしでふもとの村まで医者を呼びに走る。

岩崎書店　1995.4　77p　22×19cm　（日本の名作童話 5）　1500 円
Ⓘ4-265-03755-0　Ⓝ913.68

『モチモチの木』

斎藤隆介作，滝平二郎絵

内容 夜ひとりではセッチンにいけない、おくびょうな豆太。ところがある夜、目をさますと、ジサマがハライタでうなっています。豆太は夜道をすっとんで、イシャサマをよびにいきます…「モチモチの木」など、13 のお話集。1967 年に出版されて、日本の児童文学に新しい風を吹きこんだ『ベロ出しチョンマ』を 2 分冊。日本児童文学の歴史に残るロングセラーを A5 判サイズで活字も新しくページもリニューアルしました。

理論社　2001.2　183p　21cm　（新・名作の愛蔵版）　1200 円
Ⓘ4-652-00510-5　Ⓝ913.6

『斎藤隆介童話集』

斎藤隆介著

目次 八郎，天上胡瓜，天の笛，ひいふう山の風の神，ソメコとオニ，ドンドコ山の子ガミナリ，一ノ字鬼，モチモチの木，三コ，死神どんぶら，春の雲，緑の馬，天狗笑い，もんがく，ベロ出しチョンマ，白猫おみつ，浪兵衛，毎日正月，腹ペコ熊，ひさの星，半日村，花咲き山，でえだらぼう，虹の橋，おかめとひょっとこ

内容 磔の刑が目前にもかかわらず、妹を笑わせるためにペロッと舌を出す兄の思いやりを描いた「ベロ出しチョンマ」、ひとりでは小便にも行けない臆病者の豆太が、じさまのために勇気をふるう「モチモチの木」などの代表作をはじめ、子どもから大人まで愉しめる全 25 篇を収録。真っ直ぐに生きる力が湧いてくる名作アンソロジー。

角川春樹事務所　2006.11　221p　15cm　（ハルキ文庫）　680 円
Ⓘ4-7584-3262-7　Ⓝ913.6

『ベロ出しチョンマ』

斎藤隆介作，滝平二郎画

目次 花咲き山，八郎，三コ，東・太郎と西・次郎，ベロ出しチョンマ，一ノ字鬼，毎日正月，モチモチの木，なんむ一病息災，ソメコとオニ，死神どんぶら，緑

の馬，五郎助奉公，こだま峠，もんがく，浪兵衛，おかめ・ひょっとこ，白猫おみつ，天の笛，春の雲，ひばりの矢，ひいふう山の風の神，ドンドコ山の子ガミナリ，カッパの笛，天狗笑い，白い花，寒い母，トキ

内容 はりつけの刑にさた兄と妹。妹思いの兄長松は、死の直前ベロッと舌を出し、妹を笑わせようとした。

理論社　2004.2　238p　18cm　（フォア文庫愛蔵版）　1000円

Ⓘ4-652-07385-2　Ⓝ913.6

『国語教科書にでてくる物語 3年生・4年生』

斎藤孝著

目次 3年生（いろはにほへと（今江祥智），のらねこ（三木卓），つりばしわたれ（長崎源之助），ちいちゃんのかげおくり（あまんきみこ），ききみみずきん（木下順二），ワニのおじいさんのたからもの（川崎洋），さんねん峠（李錦玉），サーカスのライオン（川村たかし），モチモチの木（斎藤隆介），手ぶくろを買いに（新美南吉）），4年生（やいトカゲ（舟崎靖子），白いぼうし（あまんきみこ），木竜うるし（木下順二），こわれた1000の楽器（野呂昶），一つの花（今西祐行），りんご畑の九月（後藤竜二），ごんぎつね（新美南吉），せかいいちうつくしいぼくの村（小林豊），寿限無（興津要），初雪のふる日（安房直子））

内容 国語教科書にでてくるお話を、物語を楽しむためのヒントとなる解説を付けて紹介。3年生・4年生は、「ききみみずきん」「手ぶくろを買いに」「白いぼうし」「寿限無」などを収録する。

ポプラ社　2014.4　294p　18cm　（ポプラポケット文庫）　700円

Ⓘ978-4-591-13917-2　Ⓝ913.68

『齋藤孝の親子で読む国語教科書 3年生』

齋藤孝著

目次 いろはにほへと（今江祥智），のらねこ（三木卓），つりばしわたれ（長崎源之助），ちいちゃんのかげおくり（あまんきみこ），ききみみずきん（木下順二），ワニのおじいさんのたからもの（川崎洋），さんねん峠（李錦玉），サーカスのライオン（川村たかし），モチモチの木（斎藤隆介），手ぶくろを買いに（新美南吉）

内容 新しい国語の教科書を習う前に、親子で物語について語り合おう！3年生のための、楽しく、かなしく、心動かされる物語を掲載。齋藤孝のあたたかい解説を味わうことで、新しい読書の世界へのとびらが開きます。

ポプラ社　2011.3　142p　21cm　1000円

Ⓘ978-4-591-12287-7　Ⓝ817.5

『教科書にでてくるお話 3年生』
西本鶏介監修

目次 のらねこ（三木卓），きつつきの商売（林原玉枝），ウサギのダイコン（茂市久美子），きつねをつれてむらまつり（こわせたまみ），つりばしわたれ（長崎源之助），手ぶくろを買いに（新美南吉），うみのひかり（緒島英二），サーカスのライオン（川村たかし），おにたのぼうし（あまんきみこ），百羽のツル（花岡大学），モチモチの木（斎藤隆介），かあさんのうた（大野允子），ちいちゃんのかげおくり（あまんきみこ）

内容 現在使われている各社の国語教科書に掲載または紹介されている作品ばかりを集めたアンソロジーです。長く読みつがれている名作、心あたたまるお話、おもしろくて元気がでるお話など、すばらしい作品がいっぱい。作品の表記は原典に忠実にし、全文を掲載しています。教科書では気づかなかった作品の魅力を、新たに発見できるかもしれません。小学校中級から。

ポプラ社　2006.3　186p　18cm　（ポプラポケット文庫）　570円
Ⓘ4-591-09169-4　Ⓝ913.68

阪田 寛夫　さかた ひろお

〈おおきくなあれ〉

（光村）「こくご たんぽぽ 二上」 2011, 2015 （東書）「あたらしいこくご 一上」 2020, 2024

『ぽんこつマーチ　新版』
阪田寛夫作，太田大八絵

内容 子どもの気持ちを生き生きととらえてうたいあげる、芥川賞作家の詩集。「サッちゃん」「夕日がせなかをおしてくる」などを収録。

大日本図書　1990.4　54p　21cm　（子ども図書館）　1000円
Ⓘ4-477-17605-8　Ⓝ911.56

『ぽんこつマーチ』
阪田寛夫著，久里洋二絵

大日本図書　1969　56p　22cm　（子ども図書館）
Ⓝ911.56

『阪田寛夫全詩集』

阪田寛夫著，伊藤英治編

目次 第1部 作品（詩，少年少女詩，子どもの歌，組曲，舞台作品より，子どもの本より，ホームソング主題歌など，初期詩稿，未刊詩篇），第2部 年譜・著作目録

内容 童謡「サッちゃん」にはじまるユーモア詩の人・阪田寛夫の全詩集全1冊。60年の創作活動の中から生まれた、可笑しくも切ない詩、愛の讃歌―全1100編を収録。

理論社　2011.4　1001，62p　21×17cm　9000円
Ⓘ978-4-652-04226-7　Ⓝ911.56

〈夕日がせなかをおしてくる〉

（学図）「みんなと学ぶ 小学校国語 三年上」 2015, 2020 （教出）「ひろがる言葉 小学国語 三下」 2011, 2015, 2020, 2024 （光村）「国語 わかば 三上」 2020, 2024 （三省堂）「小学生の国語 三年」 2011, 2015 （東書）「新しい国語 三上」 2011, 2015, 2020, 2024

『ぽんこつマーチ　新版』

阪田寛夫作，太田大八絵

内容 子どもの気持ちを生き生きととらえてうたいあげる、芥川賞作家の詩集。「サッちゃん」「夕日がせなかをおしてくる」などを収録。

大日本図書　1990.4　54p　21cm　（子ども図書館）　1000円
Ⓘ4-477-17605-8　Ⓝ911.56

『夕日がせなかをおしてくる―阪田寛夫 童謡詩集』

阪田寛夫著，浜田嘉画，北川幸比古編

目次 ちいさいはなびら，サッちゃん，かぜのなかのおかあさん，マーチ気分で，兵六どん，夕日がせなかをおしてくる，鬼の子守唄

岩崎書店　1995.12　102p　20×19cm
（美しい日本の詩歌 7）　1500円
Ⓘ4-265-04047-0　Ⓝ911.58

『夕日がせなかをおしてくる』

阪田寛夫著，高畠純画

国土社　1983.6　24p　26cm　（しのえほん 4）　1300円
Ⓘ4-337-00304-5　Ⓝ911.56

『ぱぴぷぺぽっつん』

市河紀子編，西巻茅子絵

目次 あさ・ひる・よる，あした，でんぐりがえり，きょうはいいひ，はんたいことば，ねむいうた，ほし，ゴリラ日記，だあれ?，セーターをかぶるとき〔ほか〕

内容 幼いときから、美しく豊かな日本のことばに親しんでほしいと願って編んだ、子どもたちがはじめて出会うのにぴったりの詩のアンソロジー。神沢利子、岸田衿子、工藤直子、阪田寛夫、谷川俊太郎、原田直友、まど･みちお、与田準一作の詩、四十六編を収録しています。

のら書店　2007.3　125p　19cm　（詩はともだち）　1200円
Ⓘ978-4-931129-25-2　Ⓝ911.568

『阪田寛夫全詩集』

阪田寛夫著，伊藤英治編

目次 第1部 作品（詩，少年少女詩，子どもの歌，組曲，舞台作品より，子どもの本より，ホームソング主題歌など，初期詩稿，未刊詩篇），第2部 年譜･著作目録

内容 童謡「サッちゃん」にはじまるユーモア詩の人･阪田寛夫の全詩集全1冊。60年の創作活動の中から生まれた、可笑しくも切ない詩、愛の讃歌―全1100編を収録。

理論社　2011.4　1001，62p　21×17cm　9000円
Ⓘ978-4-652-04226-7　Ⓝ911.56

『てんとうむし』

阪田寛夫作

目次 てんとうむし，練習問題，へびのあかちゃん，せなかの さかみち，おなじ夕方，いろはに つねこさん，桜の木の下で，はなやぐ朝，どじょうだじょ，はこぶね，水の匂い，ばくあり〔ほか〕

内容 阪田寛夫のミニ詩集。

童話屋　1988.1　153p　15cm　950円
Ⓘ4-924684-44-9　Ⓝ911.56

『光村ライブラリー 第18巻 《おさるがふねをかきました ほか》』
樺島忠夫，宮地裕，渡辺実監修，まどみちお，三井ふたばこ，阪田寛夫，川崎洋，河井酔茗ほか著，松永禎郎，杉田豊，平山英三，武田美穂，小野千世ほか画

目次 おさるがふねをかきました（まど・みちお），みつばちぶんぶん（小林純一），あいうえお・ん（鶴見正夫），ぞうのかくれんぼ（高木あきこ），おうむ（鶴見正夫），あかいカーテン（みずかみかずよ），ガラスのかお（三井ふたばこ），せいのび（武鹿悦子），かぼちゃのつるが（原田直友），三日月（松谷みよ子），夕立（みずかみかずよ），さかさのさかさはさかさ（川崎洋），春（坂本遼），虻（嶋岡晨），若葉よ来年は海へゆこう（金子光春），われは草なり（高見順），くまさん（まど・みちお），おなかのへるうた（阪田寛夫），てんらん会（柴野民三），夕日がせなかをおしてくる（阪田寛夫），ひばりのす（木下夕爾），十時にね（新川和江），みいつけた（岸田衿子），どきん（谷川俊太郎），りんご（山村暮鳥），ゆずり葉（河井酔茗），雪（三好達治），影（八木重吉），楽器（北川冬彦），動物たちの恐ろしい夢のなかに（川崎洋），支度（黒田三郎）

光村図書出版　2004.11　83p　21cm　1000円
Ⓘ4-89528-116-7　Ⓝ908

さくら ももこ

〈きもち〉

（三省堂）「しょうがくせいのこくご 一年上」 2011, 2015

『まるむし帳』
さくらももこ著

目次 まるむし帳，感覚，思考，家族，自然・生き物，物理的な物への着眼点，想い

内容 くるりと小さく丸まって、すぐにゴロリと転がるわたしはまるむしです。まるむしが丸まってにこにこ笑いながら書いたまるむし帳。

集英社　1991.12　140p　20×16cm　1200円
Ⓘ4-08-772826-9　Ⓝ911.56

『まるむし帳』
さくらももこ著

目次 まるむし帳，一元性，感覚，思考，家族，自然・生き物，物理的な物

への着眼点，想い

内容「ぽかんとしていたり、ごろんとしていたりしたときにできた詩は、ノートに書いておきました。ぽかんとしてたりごろんとしてたりする時は、ますますいつもより丸くなっているので、このノートは“まるむし帳”と名付けました—。」生きていることの不思議に想いをはせ、遠い昔の記憶をいつくしむ、著者初の詩画集。詩人・谷川俊太郎氏と“世界のはじまり”について語り合った巻末対談を収録。

集英社　2003.10　178p　15cm　（集英社文庫）　381円
Ⓘ4-08-747624-3　ⓃB911.56

『詩は宇宙 4年』
水内喜久雄編，太田大輔絵

目次 学ぶうた（朝の歌（小泉周二），朝がくると（まど・みちお）ほか），手紙がとどく（手紙（鈴木敏史），どきん（谷川俊太郎）ほか），おばあちゃんおじいちゃん（あいづち（北原宗積），八十さい（柘植愛子）ほか），木のうた（木（川崎洋），けやき（みずかみかずよ）ほか），生きものから（チョウチョウ（まど・みちお），シッポのちぎれたメダカ（やなせたかし）ほか），友だちのうた（ともだちになろう（垣内磯子），ともだち（須永博士）ほか），ちょう特急で（もぐら（まど・みちお），たいくつ（内田麟太郎）ほか），声に出して（かえるのうたのおけいこ（草野心平），ゆきふるるん（小野ルミ）ほか），不安になる（ぼくひとり（江口あけみ），うそつき（大洲秋登）ほか），がんばる（くじらにのまれて（糸井重里），春のスイッチ（高階杞一）ほか）

内容 日本を代表する詩人たちがおくる詩は、宇宙のひろがり。小学1年～6年に収めた計300編の詩に、新しい発見がある。さくらももこ、金子みすゞら、子どもの心をもったすてきな詩人の作品を収める。

ポプラ社　2003.4　157p　20×16cm　（詩はうちゅう 4）　1300円
Ⓘ4-591-07590-7　Ⓝ911.568

佐々木 崑　ささき こん

〈ほたるの一生〉

（学図）「みんなと学ぶ 小学校こくご 二年上」 2011, 2015, 2020

『ホタルの一生』

佐々木崑文，勝野重美写真

フレーベル館　1981.6　31p　27cm　（フレーベル館のかんさつシリーズ）　850円
Ⓝ486.6

『ホタルの一生』

佐々木崑文，勝野重美写真

内容 大人には夏の風物詩、子供には見あきることのない不思議な発光動物。ホタルはどんな一生を送るのでしょう。ホタルの結婚から、水辺の苔に産まれた卵、幼虫の孵化、水中でカワニナを食べて育ち、翌年川岸に上がってさなぎになり羽化するまでのアップの写真。

フレーベル館　1992.5　31p　26cm　（新版 かんさつシリーズ 1）　950円
Ⓘ4-577-01217-0　Ⓝ486.6

ささき たづこ

〈わたしたち手で話します〉

(学図)「みんなと学ぶ 小学校国語 三年上」 2011 「みんなと学ぶ 小学校国語 三年下」 2015, 2020

『わたしたち手で話します』

フランツ＝ヨーゼフ・ファイニク作，フェレーナ・バルハウス絵，ささきたづこ訳

内容 いつもは気がつかなくても家のなかや外ではいろいろな音がしています。小鳥や虫の声。自動車や電車の走る音。音楽や放送やサイレン。テレビやチャイムや電話やインターホンなど。そういうものが聞こえないと、毎日の生活はどうなるのでしょう？でも、耳が不自由でも楽しいことはこんなにいっぱいあるのです。

あかね書房　2006.1　25p　30×22cm　（あかね・新えほんシリーズ）　1400円
Ⓘ4-251-00947-9　Ⓝ726.6

佐野 洋子　さの ようこ

〈おじさんのかさ〉

教出「ひろがることば しょうがくこくご 一下」 2011

『おじさんのかさ』

佐野洋子作・絵

内容 雨の日におじさんが出会った素敵なできごと—りっぱなかさがぬれるのがいやで、かさをさそうとしないおじさん。ある雨の日、子どもたちの歌をきいたおじさんは、はじめてかさを広げてみると…。

講談社　1992.5　31p　30cm　1350円
Ⓘ4-06-131880-2　Ⓝ913.6

『おじさんのかさ』

さの ようこおはなし・え

銀河社　1978　1冊　30cm　(銀河社の創作絵本)　980円
Ⓝ913.6

『くじらぐもからチックタックまで』

石川文子編

目次 くじらぐも（中川李枝子），チックタック（千葉省三），小さい白いにわとり（(ウクライナの民話）光村図書出版編集部編），おおきなかぶ（内田莉莎子訳，A.トルストイ再話），かさこじぞう（岩崎京子），ハナイッパイになあれ（松谷みよ子），おてがみ（三木卓訳，アーノルド・ローベル原作），スイミー（谷川俊太郎訳，レオ＝レオニ原作），馬頭琴（(モンゴルの民話）君島久子訳），おじさんのかさ（佐野洋子），花とうぐいす（浜田広介），いちごつみ（神沢利子），おかあさんおめでとう（『くまの子ウーフ』より）（神沢利子），きつねのおきゃくさま（あまんきみこ），きつねの子のひろった定期券（松谷みよ子），きつねの窓（安房直子），やまなし（宮澤賢治），最後の授業（桜田佐訳 アルフォンス・ドーデ原作），譲り葉（河井酔茗），雨ニモマケズ（宮澤賢治）

内容 昭和40年から現在までこくごの教科書のおはなしベスト20。「もう一度読みたい」リクエスト作品と、採用頻度の高い作品で作りました。教科書でしか読めなかった名作『くじらぐも』が、初めて教科書から飛び出しました。

フロネーシス桜蔭社，メディアパル〔発売〕　2008.11　222p　19cm　1400円
Ⓘ978-4-89610-746-3　Ⓝ908.3

『こころにひびくめいさくよみもの 1ねん―よんで、きいて、こえにだそう』

府川源一郎，佐藤宗子編

目次 花いっぱいになあれ（松谷みよ子），おじさんのかさ（佐野洋子），はなび（森山京），雨つぶ（あべ弘士），天に上ったおけやさん（水谷章三），おもしろいことば，きりんはゆらゆら（武鹿悦子），ひらいたひらいた

内容 小学校国語教科書に掲載された名作（物語・説明文・詩）を学年別に収録。発達段階に応じた教科書表記を採用。難意語には注を記載。発展学習にも役立つよう、交ぜ書きから読み仮名付きの漢字へ適宜変更。当時の教科書に使用された挿絵を掲載。俳優・声優による格調高い朗読をCDに収め各巻に添付。

教育出版　2004.3　75p　21cm　2000円
Ⓘ4-316-80085-X　Ⓝ918.6

〈だって だっての おばあさん〉

（光村）「こくご ともだち 一下」 2011, 2015

『だってだってのおばあさん　新装版』

佐野洋子作・絵

内容「だって、わたしはおばあちゃんだもの」それが、くちぐせのおばあさん。でも、99さいのおたんじょうびに、ねこがかってきたろうそくは、たったの5ほん。つぎのひ、おばあさんは…。30年間愛され続けたロングセラー。全国学校図書館協議会選定図書。

フレーベル館　2009.1　31p　27×21cm　1200円
Ⓘ978-4-577-03649-5　Ⓝ726.6

『だってだってのおばあさん』

さのようこ著

フレーベル館　1985.6　31p　27cm　（フレーベルのえほん 3）　880円
Ⓘ4-577-00303-1　Ⓝ726.6

『国語教科書にでてくる物語 1年生・2年生』

齋藤孝著

目次 1年生（タヌキのじてんしゃ（東君平），おおきなかぶ（トルストイ），サラダでげんき（角野栄子），いなばの白うさぎ（福永武彦），しましま（森山京），はじめは「や!」（香山美子），まのいいりょうし（稲田和子・筒井悦子），ゆうひのしずく（あまんきみこ），だってだってのおばあさん（佐野洋子），ろくべえまってろよ（灰谷健次郎），2年生（ちょうちょだけになぜなくの（神沢利子），

きいろいばけつ（森山京），三まいのおふだ（瀬田貞二），にゃーご（宮西達也），きつねのおきゃくさま（あまんきみこ），スーホの白い馬（大塚勇三），かさこじぞう（岩崎京子），十二支のはじまり（谷真介），泣いた赤おに（浜田廣介））

ポプラ社　2014.4　284p　18cm　（ポプラポケット文庫）　700円

Ⓘ978-4-591-13916-5　Ⓝ913.68

『齋藤孝の親子で読む国語教科書 1年生』

齋藤孝著

目次 タヌキのじてんしゃ（東君平），おおきなかぶ（トルストイ），サラダでげんき（角野栄子），いなばの白うさぎ（福永武彦），しましま（森山京），はじめは「や！」（香山美子），まのいいりょうし（稲田和子，筒井悦子），ゆうひのしずく（あまんきみこ），だってだってのおばあさん（佐野洋子），ろくべえまってろよ（灰谷健次郎）

内容 新しい国語の教科書を習う前に、親子で物語について語り合おう！1年生のための、楽しく、かなしく、心動かされる物語を掲載。齋藤孝のあたたかい解説を味わうことで、新しい読書の世界へのとびらが開きます。

ポプラ社　2011.3　138p　21cm　1000円

Ⓘ978-4-591-12285-3　Ⓝ817.5

島田 陽子　しまだ ようこ

〈うち知ってんねん〉

（学図）「みんなと学ぶ 小学校国語 三年上」 2011, 2015, 2020

『うち知ってんねん』

小池昌代編，片山健画

内容 あの子かなわんねん かくれてておどかしやるし そうじはなまけやるし わるさばっかししやんねん そやけど よわい子ォにはやさしいねん（「うち知ってんねん」より）友だちや家族のことをうたった詩が満載の絵本。

あかね書房 2007.12 1冊 25×21cm

（絵本かがやけ・詩 みんなのことば 4）　1800円

Ⓘ978-4-251-09254-0　Ⓝ911.568

『新編 島田陽子詩集』

島田陽子著

目次 詩集『ゆれる花』より（ゆれる花，団地のショーウィンドー ほか），詩集『北摂のうた』より（さなぎ，三月 ほか），詩集『共犯者たち』より（みすずかる，あんずの里 ほか），詩集『童謡』より（童謡（序詩），ずいずいずっころばし ほか），詩集『森へ』より（予感，ビートルズ・エイジ ほか），童謡集『ほんまにほんま』より（けっとう，うち、知ってんねん ほか），詩集『大阪ことばあそびうた』より（いうやんか，だいじない ほか），詩集『続大阪ことばあそびうた』より（まっせ，しもた ほか），詩集『家族』より（あたりまえのこと（序詩），セイウチ ほか），詩集『おおきにおおさか』より（せぇてせかん，らぶこーる ほか），未刊詩集より（結婚，海の記憶 ほか），エッセイ

土曜美術社出版販売　2002.10　174p　19cm　（新・日本現代詩文庫 13）　1400円
Ⓘ4-8120-1366-6　Ⓝ911.56

『10分で読める友だちのお話』

横山洋子選

目次 友だちがうらやましい ありがとう前歯（渋谷愛子），すっかり仲よし 白い子犬（大石真），友だちの詩 きょうのおやすみだあれ（後藤れい子），楽しい友だち リュックの中のみつまめだ（山下明生），だいじな友だち ひなぎく（アンデルセン，矢部美智代），いっしょに遊ぼう ゆうこと遊んだせっちゃんはだあれ？（宮川ひろ），仲間のもとへ かもの友情（椋鳩十），友だちの詩 うち知ってんねん（島田陽子），みんなでドキドキ 赤いろうそく（新美南吉），大すきな友だち ハイジ（ヨハンナ・スピリ，金治直美）

内容 友だちが先に乳歯がぬけ、うらやましくて、つい「うそ」をついてしまったお話、まいごの子犬をひろったことで、苦手だなと思っていた子と、仲よくなったお話など、友だち、友情ストーリーいっぱいの短編集！小学校低～中学年向け。

学研教育出版，学研マーケティング〔発売〕　2013.6　178p　21cm　800円
Ⓘ978-4-05-203781-8　Ⓝ908.3

『こども詩集 わくわく』

全国学校図書館協議会，田中和雄編

目次 春が来た（高野辰之），ねがいごとたんぽぽはるか（工藤直子），子どもが笑うと…（新川和江），いろんなおとのあめ（岸田衿子），とんとんとーもろこし（岸田衿子），やぎさんゆうびん（まど・みちお），はだか（若山牧水），しりとりことば—作者不詳，びりのきもち（阪田寛夫），蚯蚓の詩（木山捷平）〔ほか〕

内容 好きな詩が見つかったら、うたって、おどって、楽しんでください。

わくわくするような谷川俊太郎の詩や、「春が来た」「しゃぼん玉」といった歌の詩などを多数収録。詩のあん唱運動「ソラシド」から生まれた詩集。

童話屋　2019.7　139p　19cm　1500円
Ⓘ978-4-88747-137-5　Ⓝ911.568

『ちちんぷいぷい―ことばの宝箱』
川崎洋，木坂涼編，杉田比呂美画

目次 1 あそび歌など（赤ちゃんのあやしことば，子もり歌，あいさつ ほか），2 おはなし歌・かえ歌（おはなし歌，かえ歌），3 詩（祝詞（川崎洋），おれも眠ろう（草野心平），いのち（工藤直子）ほか）

内容 なつかしい、たのしい、おもしろい日本語。譜面で習った覚えもないのに、口ずさむフレーズや節回し、遊び歌を、私たちは数多く共有しています。年代を越え、世代をつなぎ、伝承された文化遺産ともいえるそんな「ことばの宝物」をまとめました。

岩崎書店　2003.3　142p　19cm　1200円
Ⓘ4-265-80114-5　Ⓝ911.58

清水 たみ子　しみず たみこ

〈木〉

（教出）「ひろがることば 小学国語 二下」 2020 （東書）「あたらしいこくご 一上」 2011, 2015

『あまのじゃく』
清水たみ子詩，深沢邦朗絵

目次 こいぬのルナくん，リンゴをあげたら，ちびうさぎ，キリン，でんでんむし，こおろぎさん，たんぽぽさん，おにわのうた，木，どんぐり〔ほか〕

国土社　2003.1　77p　25×22cm　（現代日本童謡詩全集 12）　1600円
Ⓘ4-337-24762-9　Ⓝ911.56

『あまのじゃく』
清水たみ子著

目次 こいぬのルナくん，リンゴをあげたら，ちびうさぎ，キリン，でんで

んむし，こおろぎさん，たんぽぽさん，おにわのうた，木，どんぐり〔ほか〕

国土社　1977.9　79p　21cm　（国土社の詩の本 9）　1359円
Ⓘ4-337-24709-2　Ⓝ911.58

『幼い子の詩集 パタポン 1』
田中和雄編

目次 はるのさんぽ（まど・みちお），ののはな（谷川俊太郎），池のきしべで（A・A・ミルン），影（与田準一），思い出（ウィリアム・アリンガム），もくてきち（A・A・ミルン），尺取虫（竹久夢二），あしおと（大木実），さくら（まど・みちお），へのへのもへじ（川崎洋）〔ほか〕

内容 幼い子どものためにいい選詩集を - 故瀬田貞二の思いを結晶させようと編まれた詩集。大人も子どもも一緒にうたってよんで遊んで自然界の不思議、美しさを満喫してください。

童話屋　2002.4　155p　15cm　1250円
Ⓘ4-88747-026-6　Ⓝ908.1

しょうじ たけし

〈ありがとう〉
(東書)「あたらしいこくご 一下」 2015, 2020, 2024

『詩集トマトとガラス』
荘司武著，久保雅勇絵

かど創房　1984.8　100p　23cm　（かど創房創作文学シリーズ詩歌）　1000円
Ⓘ4-87598-018-3　Ⓝ911

新沢 としひこ　しんざわ としひこ

〈空にぐうんと手をのばせ〉
(東書)「新しい国語 二上」 2011, 2015, 2020, 2024

『空にぐーんと手をのばせ』
新沢としひこ詩，市居みか絵

目次 空にぐーんと手をのばせ，いっぴきいっこひとつでひとり，のはらでひるねをしていたら，あわてんぼうのポケットで，いたい，こどもの日おとなの日，おおきなてちいさなて，空の下地面の上，へそまがりのうた，ことばのこのじ〔ほか〕

内容 「世界中のこどもたちが」「はじめの一歩」などの作詞家・新沢としひこによるはじめての詩集。

理論社　2000.11　107p　19cm　1300円
Ⓘ4-652-07190-6　Ⓝ911.56

『ぐるっと地球をかかえちゃえ』

伊藤英治編，杉田比呂美絵

目次 じいちゃんからいきなり（まど・みちお），夏の海（川崎洋），よる（神沢利子），私たちの星（谷川俊太郎），青空（高階杞一），わたしと地球（清水たみ子），太陽にむかって（小野ルミ），ひょっとして（矢崎節夫），地動説（阪田寛夫），光が（工藤直子）〔ほか〕

岩崎書店　2004.2　31p　25 × 22cm（ユーモア詩のえほん・かぞくのうた 6）1400円
Ⓘ4-265-05256-8　Ⓝ911.568

関根 栄一　せきね えいいち

〈かいだん〉

（光村）「国語 あおぞら 三下」 2020, 2024

『ことばあそび３年生』

赤岡江里子ほか著，大塚いちお画，伊藤英治編

目次 バナナのじこしょうかい（まど・みちお），いのち（谷川俊太郎），くしゃみかぞえうた（有馬敲），かぞえうた（川崎洋），先へ進まない数えうた（川崎洋），あられ（中江俊夫），あざらしのあさめし（木島始），いか（谷川俊太郎），いちごのかぞえうた（岸田衿子），イグアナのゆめ（木島始）〔ほか〕

内容 いちのいのちはちりまする にいのいのちはにげまする…。谷川俊太郎、まど・みちお、工藤直子、阪田寛夫、川崎洋など、教科書にものっている「ことばあそび」を収録。画期的な学年別・詩の本シリーズ３年生版。

理論社　2001.4　106p　21cm　（ことばあそびの本 3）　1600円
Ⓘ4-652-03433-4　Ⓝ911.568

瀬田 貞二　せた ていじ

〈おんちょろちょろ〉

（学図）「みんなとまなぶ しょうがっこうこくご 一ねん下」 2015, 2020

『おんちょろちょろ』

瀬田貞二再話，梶山俊夫画

内容 道に迷った男の子が老夫婦の家に泊めてもらいますが、お寺の小僧になりすましたことから、お経をあげてほしいとお願いされ…。

福音館書店　1970.2（初版 2016.3）　27p　26×20cm　（こどものとも絵本）　900円
Ⓘ978-4-8340-8217-3　Ⓝ913.6

『さてさて、きょうのおはなしは……―日本と世界のむかしばなし』

瀬田貞二再話・訳，野見山響子画

内容 日本の児童文学の世界に大きな足跡を残した瀬田貞二の生誕百年を記念した昔話集。「かさじぞう」「三びきのやぎのがらがらどん」など全28話を収録する。

福音館書店　2017.1　172p　18cm　1100円
Ⓘ978-4-8340-8313-2　Ⓝ908.3

〈三まいのおふだ〉

（光村）「こくご 赤とんぼ 二下」 2011, 2015

『日本のむかしばなし　復刊』

瀬田貞二文，瀬川康男，梶山俊夫絵

目次 花さかじい，ぶよのいっとき，えすがたあねさん，ねずみのすもう，さるむこいり，まのいいりょうし，まめこじぞう，ほらあなさま，さるとひきのもちとり，すずめのあだうち，三まいのおふだ，つぶの長者，年こしのたき火

内容 幼い時にいちどは読んでほしい日本の昔話を格調高い文と美しい絵で贈ります―。「花さかじい」「えすがたあねさん」「まめこじぞう」などのよく知られたお話13編を収録。5歳から小学校低・中学年向。

のら書店　1998.10　159p　21cm　2000円
Ⓘ4-931129-83-8　Ⓝ913.6

『国語教科書にでてくる物語 1年生・2年生』

齋藤孝著

目次 1年生（タヌキのじてんしゃ（東君平），おおきなかぶ（トルストイ），サラダでげんき（角野栄子），いなばの白うさぎ（福永武彦），しましま（森山京），はじめは「や!」（香山美子），まのいいりょうし（稲田和子・筒井悦子），ゆうひのしずく（あまんきみこ），だってだってのおばあさん（佐野洋子），ろくべえまってろよ（灰谷健次郎），2年生（ちょうちょだけになぜなくの（神沢利子），きいろいばけつ（森山京），三まいのおふだ（瀬田貞二），にゃーご（宮西達也），きつねのおきゃくさま（あまんきみこ），スーホの白い馬（大塚勇三），かさこじぞう（岩崎京子），十二支のはじまり（谷真介），泣いた赤おに（浜田廣介））

ポプラ社　2014.4　284p　18cm　（ポプラポケット文庫）　700円
Ⓘ978-4-591-13916-5　Ⓝ913.68

『齋藤孝の親子で読む国語教科書 2年生』
斎藤孝著

目次 ちょうちょだけになぜなくの（神沢利子），きいろいばけつ（森山京），三まいのおふだ（瀬田貞二），にゃーご（宮西達也），きつねのおきゃくさま（あまんきみこ），スーホの白い馬（大塚勇三），かさこじぞう（岩崎京子），十二支のはじまり（谷真介），泣いた赤おに（浜田廣介）

ポプラ社　2011.3　142p　21cm　1000円
Ⓘ978-4-591-12286-0　Ⓝ817.5

高木 あきこ　たかぎ あきこ

〈てつぼう〉

（学図）「みんなと学ぶ 小学校こくご 二年上」 2011

『どこかいいところ―高木あきこ詩集』
高木あきこ作，渡辺洋二絵

目次 1 桜の木の下で，2 三月の電車，3 にいちゃんとぼく，4 おにぎりえんそく，5 なっとう，6 ねこのした，7 てるちゃんのうた

内容 太陽がふりそそぐ。風がふく。音がする。家族がいる。ともだちがいる。時間がながれる。未来がある。ここに、わたしの詩がある。「冬の満月」「山のつり橋」「こがね色の雲」など多数の作品を、イラストを添えて収録した詩集。

理論社　2006.11　141p　21×16cm　（詩の風景）　1400円
Ⓘ4-652-03856-9　Ⓝ911.56

竹下 文子　たけした ふみこ

〈かくれんぼ〉

(東書)「新しい国語 二上」 2011

『ときときとき―かおるとみんな』

竹下文子文，鈴木まもる絵

目次 ときときとき，めがでたよ，がんばれがんばれ，よういどん，ちろちろがわ，かくれんぼ

内容 かおるは、げんきなおとこのこ。うさぎとたねまきしたり、かぜとぶらんこしたり、かたつむりとかけっこしたり。きょうはだれとなにしてあそぼうか。

小峰書店　2004.9　38p　24×19cm
（えほんひろば）　1400円
Ⓘ4-338-18010-2　Ⓝ913.6

〈風のゆうびんやさん〉

(東書)「新しい国語 二上」 2015, 2020, 2024

『風のゆうびんやさん』

竹下文子作，土田義晴絵

内容 ダンボール箱を使って、おもちゃ箱のおもちゃたちと電車ごっこをする「しゅっぱつしんこう!」など、心がほんわかする小さなお話を8つあつめました。3分で読める、読みきかせの絵本

あかね書房　2001.4　35p　21×19cm
（おはなし8つ 3）　1100円
Ⓘ4-251-00913-4　Ⓝ913.6

武田 明　たけだ あきら

〈たのきゅう〉

(光村)「国語 わかば 三上」 2015

『伊豫の民話　新版』

武田明編

目次 東豫地方(福とく三年，野根のかじのばばあ，恋しくば訪ねて来い ほか)，中豫地方（おかちんのいわれ，うぐいすとねずみ，炭焼小五郎 ほか)，南豫地方（雀孝行、燕不孝，たのきゅう，狐と男 ほか)

未来社　2015.6　272p　19cm　(日本の民話 9)　2200円

Ⓘ978-4-624-93509-2　Ⓝ388.183

田中 潔　たなか きよし

〈はりねずみと金貨〉

(東書)「新しい国語 三下」 2015　「新しい国語 三上」 2020

『ハリネズミと金貨―ロシアのお話』

ウラジーミル・オルロフ原作，田中潔文，ヴァレンチン・オリシヴァング絵

内容 森の小道で、ハリネズミのおじいさんが金貨をみつけました。年をとって、冬ごもりのしたくもたいへんになってきたので、この金貨で干しキノコでもかおうと、さがしはじめたのですが、みつかりません。―ハリネズミのおじいさんが、つぎつぎとであう動物たちは、みんな思いやりにあふれています。本来のお金の意味、人と人が寄り添って生きることの意味を思い出させてくれるロシアのお話です。5歳から。

偕成社　2003.12　31p　29×25cm　(世界のお話傑作選)　1400円

Ⓘ4-03-963810-7　Ⓝ983

たに しんすけ

〈十二支のはじまり〉

(光村)「こくご 赤とんぼ 二下」 2011

『十二支のはじまり』

谷真介文，赤坂三好絵

内容 神様は、元日の朝あいさつにきた一番から十二番までのものを年の王様にしようとおっしゃいました。十二支の動物たちと順番がどうしてきまったのかわかる楽しい絵本。

佼成出版社　1990.11　31p　27×22cm　1100円
Ⓘ4-333-01511-1

『行事むかしむかし』

谷真介文，赤坂三好絵

目次 年の始め―十二支のはじまり，一月―はつゆめはひみつ，二月―オニといりまめ，三月―たまごからうまれた女の子，四月―おしゃかさまのたんじょう日，五月―くわずにょうぼう，六月―どろだらけのじぞうさん，七月―天人にょうぼう，八月―じごくへいった三人，九月―月へいったうさぎ，十月―いのこのまつり，十一月―あとかくしの雪，十二月―かさじぞう

内容 むかしから一年に一度行われているまつりや行事は、どのようにして生まれてきたのでしょうか。そのなり立ちが語られている、十三の楽しい昔ばなしです。

佼成出版社　2005.9　143p　21cm　(読み聞かせ昔ばなし)　1300円
Ⓘ4-333-02164-2　Ⓝ913.6

『国語教科書にでてくる物語 1年生・2年生』

齋藤孝著

目次 1年生（タヌキのじてんしゃ（東君平），おおきなかぶ（トルストイ），サラダでげんき（角野栄子），いなばの白うさぎ（福永武彦），しましま（森山京），はじめは「や!」（香山美子），まのいいりょうし（稲田和子・筒井悦子），ゆうひのしずく（あまんきみこ），だってだってのおばあさん（佐野洋子），ろくべえまってろよ（灰谷健次郎），2年生（ちょうちょだけになぜなくの（神沢利子），きいろいばけつ（森山京），三まいのおふだ（瀬田貞二），にゃーご（宮西達也），きつねのおきゃくさま（あまんきみこ），スーホの白い馬（大塚勇三），かさこじぞう（岩崎京子），十二支のはじまり（谷真介），泣いた赤おに（浜田廣介））

ポプラ社　2014.4　284p　18cm　（ポプラポケット文庫）　700円
Ⓘ978-4-591-13916-5　Ⓝ913.68

『齋藤孝の親子で読む国語教科書 2年生』
斎藤孝著

目次 ちょうちょだけになぜなくの（神沢利子），きいろいばけつ（森山京），三まいのおふだ（瀬田貞二），にゃーご（宮西達也），きつねのおきゃくさま（あまんきみこ），スーホの白い馬（大塚勇三），かさこじぞう（岩崎京子），十二支のはじまり（谷真介），泣いた赤おに（浜田廣介）

ポプラ社　2011.3　142p　21cm　1000円
Ⓘ978-4-591-12286-0　Ⓝ817.5

谷川 俊太郎　たにかわ しゅんたろう

〈アレクサンダとぜんまいねずみ〉

（教出）「ひろがることば 小学国語 二下」 2011, 2015, 2020, 2024

『アレクサンダとぜんまいねずみ―ともだちをみつけたねずみのはなし』
レオ＝レオニ作，谷川 俊太郎訳

内容 ねずみのアレクサンダは、みんなにちやほやされる、おもちゃのぜんまいねずみのウイリーがうらやましい。自分をぜんまいねずみに変えてもらおうと、魔法のとかげに会いに行くが…。思いやりと友情を伝える、心温まる大型絵本。

好学社　2012.10　1冊　52cm　（ビッグブック）　9，800円
Ⓘ978-4-7690-2026-4　Ⓝ933.7

『アレクサンダとぜんまいねずみ―ともだちをみつけたねずみのはなし』
レオ・レオニ著，谷川俊太郎訳

内容 ねずみのアレクサンダは、子どもたちにちやほやされる玩具のぜんまいねずみがうらやましくて仕方ありません。ところがある日…。

好学社　1988.4　30p　28cm　1456円
Ⓘ4-7690-2005-8　Ⓝ93

『シャベルでホイ』

目次 ちょうちょ（のろさかん），アレクサンダとぜんまいねずみ（レオ・レ

オニ)，ピューンの花（平塚武二)，なんでもロボット（寺村輝夫)，くさいろのマフラー（後藤竜二)，三まいのおふだ（日本の昔話)，シャベルでホイ（サトウハチロー)，はんてんをなくしたヒョウ（ヒューエット)，ウーフはおしっこでできてるか ??（神沢利子)

国土社　1985.4　125p　22cm　(新・文学の本だな 小学校低学年 2)　1200 円
Ⓘ4-337-25204-5　Ⓝ908

〈いしっころ〉

(三省堂)「しょうがくせいのこくご 一年下」 2011, 2015

『いしっころ―谷川俊太郎詩集』

谷川俊太郎著，中山智介画，北川幸比古編

内容 みずみしい詩情・美しいことば。ことばの魔術師・宇宙からやってきた新鮮な詩人の世界。

岩崎書店　1995.11　102p　20×20cm
(美しい日本の詩歌)　1500 円
Ⓘ4-265-04046-2　Ⓝ911.56

『ぼくはぼく』

谷川俊太郎詩

目次 生まれたよぼく，赤んぼの気持ち，おなかのなかは，うんこ，いしっころ，うんち，ぼく，ぱん，あいしてる，むかしむかし〔ほか〕

童話屋　2013.1　149p　16×11cm　1250 円
Ⓘ978-4-88747-117-7　Ⓝ911.56

『どきん―谷川俊太郎少年詩集』

谷川俊太郎著

目次 1 いしっころ（らいおん，おおかみ，こうもりひらり ほか)，2 海の駅（海の駅，少女，ふゆのゆうぐれ ほか)，3 どきん（あはは，ひとつめこぞう，わらうやま ほか)

理論社　1983.2　141p　21cm　(詩の散歩道)　1650 円
Ⓘ4-652-03808-9　Ⓝ91

『こどもあそびうた』
谷川俊太郎著，山田馨編

目次 かっぱ，いるか，とっきっき，ごちそうさま，がいこつ，なくぞ，たいこ，あいたたた，うしのうしろに，ゆっくりゆきちゃん〔ほか〕

童話屋　2018.6　157p　16×11cm　1500円
Ⓘ978-4-88747-135-1　Ⓝ911.56

〈いるか〉

(学図)「みんなとまなぶ しょうがっこうこくご 一ねん上」2011, 2015, 2020

『ことばあそびうた』
谷川俊太郎著，瀬川康男画

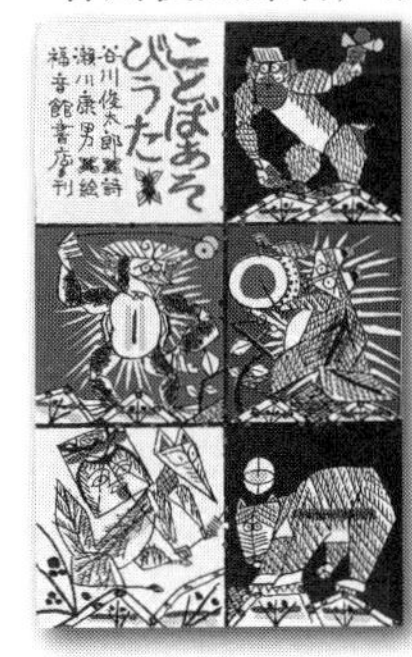

内容「かっぱかっぱらった かっぱらっぱかっぱらった とってちってた」「うそつききつつき きはつつかない うそをつきつき つきつつく」「このこのこのこ どこのここのこ このこのこののこ たけのこきれぬ」など、文句なしにおもしろい歌が15編はいった、みんなでいっしょに楽しめる絵本。谷川俊太郎さんのことば遊びの詩と瀬川康男さんの絵が、読者をことば遊びの世界に引き込みます。

福音館書店　1973.10　1冊　23cm　1100円
Ⓘ978-4-8340-0401-4　Ⓝ911.56

『ことばあそびうた また』
谷川俊太郎詩，瀬川康男絵

福音館書店　1981.5　1冊　23cm　（日本傑作絵本シリーズ）　650円
Ⓘ4-8340-0840-1　Ⓝ911.56

『みえる詩 あそぶ詩 きこえる詩』
はせみつこ編，飯野和好絵

目次 いるか（谷川俊太郎），かのいろいろ（阪田寛夫），春のこいうた（有馬敲），ちょうちょう（はたなか・けいいち），もぐら（まど・みちお），へんてこ動物園（織田道代），あっ、いいな（筏丸けいこ），名づけあそびうた（川崎洋），なくしもの（木村信子），ないてるんだい（香山美子）〔ほか〕

内容 心に見える詩のアンソロジー。小学校低学年からおとなまで。

冨山房　1997.4　167p　21cm　2200円
Ⓘ4-572-00469-2　Ⓝ911.568

『谷川俊太郎詩集 続』

谷川俊太郎著

目次 二十億光年の孤独・拾遺，落首九十九，その他の落首，拾遺詩篇，旅，祈らなくていいのか―未刊詩集，うつむく青年，空に小鳥がいなくなった日，ことばあそびうた，ことばあそびうた・また

内容 綜合全詩集『谷川俊太郎詩集』正篇以後の、『落首九十九』から、名篇『旅』、青春詩集『うつむく青年』『空に小鳥がいなくなった日』、真骨頂を示す『ことばあそびうた』正続ほか、拾遺、未刊詩篇を収めた丸ごと全詩集900頁の大冊。

思潮社　2002.1　909p　19cm　3800円
Ⓘ4-7837-2316-8　Ⓝ911.56

『谷川俊太郎詩集 たったいま』

谷川俊太郎詩，広瀬弦絵

目次 そのひとがうたうとき，春に，生きる，ひみつ，うそ，き，かっぱ，いるか，おにのおにぎり，かぞえうた，こうもりひらり，うんこ，はくしゃくふじん，おべんとうの歌，アンパン，あくび，信じる，こころの色，愛が消える，ひとり，もっと向こうへと，私たちの星，もどかしい自分，捨てたい，天使、まだ手探りしている Engel, tastend 1939，たったいま，一人きり，ありがとう，幸せ，走る，若さゆえ，ただ生きる，木を植える，いまここにいないあなたへ，卒業式，交響楽，終わりと始まり，何か

内容 青い鳥文庫はじめての詩集です。毎日元気な子どもたちも、ときどき静かな気持ちで自分を見つめる時間がほしいはず。どこを開いても、ひとりで読んでも、声に出しても、野原でも、台所でも。「かっぱ」「いるか」など、子どもたちに人気の作品から、大人の世界をかいま見るものまで、谷川俊太郎の詩を幅広く集めました。この本のために書き下ろした新作も収録。小学中級から。

講談社　2019.12　125p　18cm　（講談社青い鳥文庫）　720円
Ⓘ978-4-06-517703-7　Ⓝ911.56

『こどもあそびうた』

谷川俊太郎著，山田馨編

目次 かっぱ，いるか，とっきっき，ごちそうさま，がいこつ，なくぞ，たいこ，あいたたた，うしのうしろに，ゆっくりゆきちゃん〔ほか〕

童話屋　2018.6　157p　16×11cm　1500円
Ⓘ978-4-88747-135-1　Ⓝ911.56

〈うんとこしょ〉

(三省堂)「小学生の国語 三年」 2011, 2015

『こどもあそびうた』

谷川俊太郎著，山田馨編

目次 かっぱ，いるか，とっきっき，ごちそうさま，がいこつ，なくぞ，たいこ，あいたたた，うしのうしろに，ゆっくりゆきちゃん〔ほか〕

童話屋　2018.6　157p　16×11cm　1500円

Ⓘ978-4-88747-135-1　Ⓝ911.56

『わらべうた』

谷川俊太郎著

集英社　1985.4　207p　16cm　(集英社文庫)　400円

Ⓘ4-08-750880-3　Ⓝ911.58

〈かえるのぴょん〉

(教出)「ひろがる言葉 小学国語 三上」 2011, 2015, 2020, 2024

『誰もしらない』

谷川俊太郎詩，杉浦範茂絵

目次 まね，ひとくいどじんのサムサム，一、二、三…，かわいそうなおばけたち，ポワポワーン，ハヒフペポ，だれ，月火水木金土日のうた，はてな，かえるのぴょん〔ほか〕

国土社　2002.11　77p　24×22cm　(現代日本童謡詩全集 14)　1600円

Ⓘ4-337-24753-X　Ⓝ911.56

『あめふりくまのこ（雨の日の詩）』

こわせたまみ編，矢合直彦絵

目次 あめのひのママ（こわせ・たまみ），あめあめふるひ（まど・みちお），雨のうた（鶴見正夫），あめふりくまのこ（鶴見正夫），あめのねこ（関根栄一），あめのひのまどに（富永佳与子），あじさいの花（佐藤雅子），なめくじとでんでんむし（関根栄一），かえるのぴょん（谷川俊太郎），ポスト（祐成智美），あめのひのちょうちょ（こわせ・たまみ）

内容 はじめてであう、母と子の詩の絵本。

あすなろ書房　2001.3　23p　25×21cm　(季節の詩の絵本 2)　1400円

Ⓘ4-7515-2142-X

〈きっときってかってきて きっときってかってはってきて〉

(光村)「こくご ともだち 一下」2020, 2024

『きっときってかってきて』

ことばあそびの会著，金川禎子画

目次 ぱぱのはばひろぱじゃま，このこのみの，はだかだからと，あのなの，きょうもあしか，なげなわのわも，たんぼにとぶ，むかでがむこうで，くついくつ，きっときって〔ほか〕

さえら書房　1978.12　37p　21×23cm　（ことばあそびえほん）　1165円

Ⓘ4-378-00202-7　Ⓝ807.9

〈ことこ〉

(光村)「こくご たんぽぽ 二上」 2020, 2024

『ことばあそびうた』

谷川俊太郎著，瀬川康男画

内容 「かっぱかっぱらった かっぱらっぱかっぱらった とってちってた」「うそつききつつき きはつつかない うそをつきつき つきつつく」「このこのこのこ どこのここのこ このこのこののこ たけのこきれぬ」など、文句なしにおもしろい歌が15編はいった、みんなでいっしょに楽しめる絵本。谷川俊太郎さんのことば遊びの詩と瀬川康男さんの絵が、読者をことば遊びの世界に引き込みます。

福音館書店　1973.10　1冊　23cm　900円

Ⓘ4-8340-0401-5　Ⓝ911.56

〈スイミー〉

(学図)「みんなと学ぶ 小学校こくご 二年上」 2011, 2015, 2020 (教出)「ひろがることば しょうがくこくご 一下」 2020, 2024 (光村)「こくご たんぽぽ 二上」 2011, 2015, 2020, 2024 (東書)「あたらしいこくご 一下」 2015, 2020, 2024

『スイミー—ちいさなかしこいさかなのはなし』

レオ・レオニ作，谷川俊太郎訳

内容 小さな黒い魚スイミーは、広い海で仲間と暮らしていました。ある日、なかまたちがみんな大きな魚に食べられてしまい、一匹のこったスイミーは…。

好学社　1994.1　1冊　28cm　1456円

Ⓘ4-7690-2001-5 Ⓝ933.7

『スイミー―ちいさなかしこいさかなのはなし』

レオ・レオニ作，谷川俊太郎訳

内容 小さな黒い魚スイミーは、広い海で仲間と暮らしていました。ところがある日、仲間たちがまぐろに食べられてしまい…。

好学社 2010.11 1冊 52×41cm （ビッグブック） 9800円
Ⓘ978-4-7690-2020-2 Ⓝ726.6

『くじらぐもからチックタックまで』

石川文子編

目次 くじらぐも（中川李枝子），チックタック（千葉省三），小さい白いにわとり（(ウクライナの民話）光村図書出版編集部編），おおきなかぶ（内田莉莎子訳，A.トルストイ再話），かさこじぞう（岩崎京子），ハナイッパイになあれ（松谷みよ子），おてがみ（三木卓訳，アーノルド・ローベル原作），スイミー（谷川俊太郎訳，レオ＝レオニ原作），馬頭琴（(モンゴルの民話）君島久子訳），おじさんのかさ（佐野洋子），花とうぐいす（浜田広介），いちごつみ（神沢利子），おかあさんおめでとう（『くまの子ウーフ』より）（神沢利子），きつねのおきゃくさま（あまんきみこ），きつねの子のひろった定期券（松谷みよ子），きつねの窓（安房直子），やまなし（宮澤賢治），最後の授業（桜田佐訳 アルフォンス・ドーデ原作），譲り葉（河井酔茗），雨ニモマケズ（宮澤賢治）

内容 昭和40年から現在までこくごの教科書のおはなしベスト20。「もう一度読みたい」リクエスト作品と、採用頻度の高い作品で作りました。教科書でしか読めなかった名作『くじらぐも』が、初めて教科書から飛び出しました。

フロネーシス桜蔭社，メディアパル〔発売〕 2008.11 222p 19cm 1400円
Ⓘ978-4-89610-746-3 Ⓝ913.68

〈そっとうた〉

(教出)「ひろがることば 小学国語 二上」 2011

『そして―谷川俊太郎自選詩集』

谷川俊太郎詩，下田昌克絵

目次 そっとうた，すきとおる，きもちのふかみに―a song，はくしゃくふじん，よげん，天使、まだ手探りしている Engel, tastend 1939 - 2，なつのゆきだるま，黄金の魚 Der Goldfish 1925，がっこう，ミライノコドモ〔ほか〕

銀の鈴社 2016.4 69p 22 × 16cm （ジュニア・ポエム双書） 1600円
Ⓘ978-4-87786-260-2 Ⓝ911.56

『こどもあそびうた』

谷川俊太郎著，山田馨編

目次 かっぱ，いるか，とっきっき，ごちそうさま，がいこつ，なくぞ，たいこ，あいたたた，うしのうしろに，ゆっくりゆきちゃん〔ほか〕

童話屋　2018.6　157p　16×11cm　1500円
Ⓘ978-4-88747-135-1　Ⓝ911.56

〈たいこ〉

（光村）「国語 あおぞら 三下」 2020, 2024

『詩ってなんだろう』

谷川俊太郎著

目次 わらべうた，もじがなくても，いろはうた，いろはかるた，ことわざ，なぞなぞ，したもじり，あいうえお，おとまねことばの詩，おとのあそびの詩，しりとり，いみのあそびの詩，アクロスティック，はいく，たんか，さんびか，ほんやく詩，あたらしい詩，ふしがついた詩，つみあげうた，きもちの詩，いろんな詩をよんでみよう，ほうげんの詩，詩ってなんだろう

内容 このむずかしい問いに、どうしたら答えられるだろう。詩の見取り図を書く。

筑摩書房　2001.10　137p　19×15cm　1300円
Ⓘ4-480-81438-8　Ⓝ908.1

〈どきん〉

（学図）「みんなと学ぶ 小学校国語 三年上」 2015, 2020　（光村）「国語 わかば 三上」 2011, 2015, 2020, 2024

『どきん―谷川俊太郎少年詩集』

谷川俊太郎著

目次 1 いしっころ（らいおん，おおかみ，こうもりひらり ほか），2 海の駅（海の駅，少女，ふゆのゆうぐれ ほか），3 どきん（あはは，ひとつめこぞう，わらうやま ほか）

理論社　1983.2　141p　21cm　（詩の散歩道）　1650円
Ⓘ4-652-03808-9　Ⓝ911.56

『こどもあそびうた』

谷川俊太郎著，山田馨編

目次 かっぱ，いるか，とっきっき，ごちそうさま，がいこつ，なくぞ，たいこ，あいたたた，うしのうしろに，ゆっくりゆきちゃん〔ほか〕

童話屋　2018.6　157p　16×11cm　1500円
Ⓘ978-4-88747-135-1　Ⓝ911.56

『みんなの谷川俊太郎詩集』

谷川俊太郎著

目次 『十八歳』，『日本語のおけいこ』，『誰もしらない』，『どきん』，『ことばあそびうた』，『ことばあそびうたまた』，『わらべうた』，『わらべうた続』，アニメ「鉄腕アトム」テーマ曲，『谷川俊太郎 歌の本』〔ほか〕

内容 初期の作品からことばあそびうた・わらべうた、ノンセンス詩をはじめ、「鉄腕アトム」の歌や幼年・少年少女のつぶやきの詩まで、著者が自分の中の子どもをいまの子どもたちにかさねて詩にした一二九篇を厳選。知らなかったらもったいない文庫オリジナル。

角川春樹事務所　2010.7　252p　15cm　（ハルキ文庫）　680円
Ⓘ978-4-7584-3492-8　Ⓝ911.56

『光村ライブラリー 第18巻 《おさるがふねをかきました ほか》』

樺島忠夫，宮地裕，渡辺実監修，まどみちお，三井ふたばこ，阪田寛夫，川崎洋，河井酔茗ほか著，松永禎郎，杉田豊，平山英三，武田美穂，小野千世ほか画

目次 おさるがふねをかきました（まど・みちお），みつばちぶんぶん（小林純一），あいうえお・ん（鶴見正夫），ぞうのかくれんぼ（高木あきこ），おうむ（鶴見正夫），あかいカーテン（みずかみかずよ），ガラスのかお（三井ふたばこ），せいのび（武鹿悦子），かぼちゃのつるが（原田直友），三日月（松谷みよ子），夕立（みずかみかずよ），さかさのさかさはさかさ（川崎洋），春（坂本遼），虻（嶋岡晨），若葉よ来年は海へゆこう（金子光春），われは草なり（高見順），くまさん（まど・みちお），おなかのへるうた（阪田寛夫），てんらん会（柴野民三），夕日がせなかをおしてくる（阪田寛夫），ひばりのす（木下夕爾），十時にね（新川和江），みいつけた（岸田衿子），どきん（谷川俊太郎），りんご（山村暮鳥），ゆずり葉（河井酔茗），雪（三好達治），影（八木重吉），楽器（北川冬彦），動物たちの恐ろしい夢のなかに（川崎洋），支度（黒田三郎）

光村図書出版　2004.11　83p　21cm　1000円
Ⓘ4-89528-116-7　Ⓝ908

『詩は宇宙 4年』

水内喜久雄編，太田大輔絵

目次 学ぶうた（朝の歌（小泉周二），朝がくると（まど・みちお）ほか），手紙がとどく（手紙（鈴木敏史），どきん（谷川俊太郎）ほか），おばあちゃんおじいちゃん（あいづち（北原宗積），八十さい（柘植愛子）ほか），木のうた（木（川崎洋），けやき（みずかみかずよ）ほか），生きものから（チョウチョウ（まど・みちお），シッポのちぎれたメダカ（やなせたかし）ほか），友だちのうた（ともだちになろう（垣内磯子），ともだち（須永博士）ほか），ちょう特急で（もぐら（まど・みちお），たいくつ（内田麟太郎）ほか），声に出して（かえるのうたのおけいこ（草野心平），ゆきふるるん（小野ルミ）ほか），不安になる（ぼくひとり（江口あけみ），うそつき（大洲秋登）ほか），がんばる（くじらにのまれて（糸井重里），春のスイッチ（高階杞一）ほか）

ポプラ社　2003.4　157p　20×16cm　（詩はうちゅう 4）　1300円
Ⓘ4-591-07590-7　Ⓝ911.56

『どきん』

谷川俊太郎詩，和田誠画

内容 たくましく、そしてしなやかに―谷川俊太郎の少年詩集。作者は豊富なことばを自在に駆使して、読者をさまざまな“場所”へとつれていく。なんでもないやさしいことばたちが、いきいきと魅力的な光を放つ。

理論社　1986.7　146p　18cm　（フォア文庫）　390円
Ⓘ4-652-07060-8　Ⓝ911.56

『谷川俊太郎詩集 続続』

谷川俊太郎著

目次 詩集〈コカコーラ・レッスン〉から，詩集〈二十億光年の孤独〉から，詩集〈六十二のソネット〉から，少年詩集〈誰もしらない〉から，ひらがな詩集〈みみをすます〉から，少年詩集〈どきん〉から，詩集〈日々の地図〉から，詩集〈タラマイカ偽書残闕〉全篇，評論・エッセイ（サーカス，「二十億光年の孤独」，子どもの〈詩〉，正直に言うと，言語から文章へ〈抄〉），作品論（青年の言葉，詩の匂い），詩人論（ラモーとぼくの物語，谷川俊太郎の朝と夜）

思潮社　1993.7　159p　19cm　（現代詩文庫 109）　1200円
Ⓘ4-7837-0876-2　Ⓝ911.56

〈フレデリック〉

（三省堂）「小学生のこくご 二年」　2011, 2015

『フレデリック―ちょっとかわったのねずみのはなし』

レオ＝レオニ作，谷川 俊太郎訳

内容 仲間の野ねずみたちが昼も夜もせっせと働き、食べ物を貯えている間、フレデリックだけは何もせず、ぼんやり過ごしているように見えました。やがて寒い冬が来て、食べ物が少なくなってくると…。大型絵本。

好学社　2016.11　1冊（ページ付なし）　52cm　（ビッグブック）　9，800円
Ⓘ978-4-7690-2029-5　Ⓝ933.7

『フレデリック―ちょっとかわったのねずみのはなし』
レオ・レオニ著

内容 仲間の野ねずみが冬に備えて食料を貯えている夏の午後、フレデリックだけは何もせず、ぼんやり過ごしておりました。「ぼくはおひさまのひかりをあつめてるんだ。」やがて寒い冬がきて…。

好学社　1987.3　1冊　29cm　1456円
Ⓘ4-7690-2002-3　Ⓝ933.7

〈みんみん〉

（光村）「こくご たんぽぽ 二上」 2020, 2024

『ふじさんとおひさま』
谷川俊太郎詩，佐野洋子絵

内容 おひさまがのぼると、こころもあたらしくなる。谷川俊太郎、こどものための詩集。

童話屋　1994.1　123p　15cm　1288円
Ⓘ4-924684-77-5　Ⓝ911.56

ダフ，マギー

〈ランパンパン〉

（学図）「みんなと学ぶ 小学校こくご 二年上」 2015

『ラン パン パン―インドみんわ』
マギー・ダフさいわ，ホセ・アルエゴ，アリアンヌ・ドウィ絵，山口文生訳

内容 クロドリは、王様にたたかいをいどむため、武装して出かけました。クロドリのおくさんが、王様にさらわれてしまったからです。とちゅう、ネコと木の枝、川、アリがなかまに加わり、クロドリの耳の中におさまって、いっしょに行くことになりました。クロドリは、王様の前にとおされましたが、さて…。

評論社　1989.6　1冊　21×26cm
（児童図書館・絵本の部屋）　1030円
Ⓘ4-566-00281-0　Ⓝ929.8

つつい えつこ

〈まのいいりょうし〉

（光村）「こくご ともだち 一下」 2011, 2015

『子どもに語る 日本の昔話 3』

稲田和子，筒井悦子著

目次 うさぎとひきのもち争い，はなれた小僧さま，ねずみ浄土，なら梨とり，三つのねがい，天福地福，かちかち山，足折れつばめ，食わず女房，運定めの話，とりつこうか ひっつこうか，五分次郎，おっぽの釣り，和尚と小僧，桃太郎，まのいいりょうし，天人女房，おおみそかの火，手なし娘，干支のはじまり，若返りの水，絵姿女房，宝化け物，団子むこ，長い話・短い話

内容 日本の昔話の研究者とストーリーテリングのベテランが、協力して練り上げた、読みやすく、聞いておもしろい昔話集。自分で読むなら小学2、3年～。

こぐま社　1996.8　188p　18×14cm　1648円
Ⓘ4-7721-9022-8　Ⓝ913.6

『国語教科書にでてくる物語 1年生・2年生』

齋藤孝著

目次 1年生（タヌキのじてんしゃ（東君平），おおきなかぶ（トルストイ），サラダでげんき（角野栄子），いなばの白うさぎ（福永武彦），しましま（森山京），はじめは「や!」（香山美子），まのいいりょうし（稲田和子・筒井悦子），ゆうひのしずく（あまんきみこ），だってだってのおばあさん（佐野洋子），ろくべえまってろよ（灰谷健次郎），2年生（ちょうちょだけになぜなくの（神沢利子），きいろいばけつ（森山京），三まいのおふだ（瀬田貞二），にゃーご（宮西達也），きつねのおきゃくさま（あまんきみこ），スーホの白い馬（大塚勇三），かさこ

じぞう（岩崎京子），十二支のはじまり（谷真介），泣いた赤おに（浜田廣介））

ポプラ社　2014.4　284p　18cm　（ポプラポケット文庫）　700円

Ⓘ978-4-591-13916-5　Ⓝ913.68

『齋藤孝の親子で読む国語教科書 1年生』

齋藤孝著

目次 タヌキのじてんしゃ（東君平），おおきなかぶ（トルストイ），サラダでげんき（角野栄子），いなばの白うさぎ（福永武彦），しましま（森山京），はじめは「や!」（香山美子），まのいいりょうし（稲田和子，筒井悦子），ゆうひのしずく（あまんきみこ），だってだってのおばあさん（佐野洋子），ろくべえまってろよ（灰谷健次郎）

内容 新しい国語の教科書を習う前に、親子で物語について語り合おう！1年生のための、楽しく、かなしく、心動かされる物語を掲載。齋藤孝のあたたかい解説を味わうことで、新しい読書の世界へのとびらが開きます。

ポプラ社　2011.3　138p　21cm　1000円

Ⓘ978-4-591-12285-3　Ⓝ817.5

坪田 譲治　つぼた じょうじ

〈古屋のもり〉

（三省堂）「小学生のこくご 学びを広げる 二年」 2011, 2015

『新版 日本のむかし話 5 こぶとりじいさんほか全19編』

坪田譲治著

目次 源五郎の天のぼり，犬かいさんとたなばたさん，五郎とかけわん，ヒバリ金かし，ネズミとトビ，どっこいしょ，木ぼとけ長者，ワラビの恩，古屋のもり，ミソサザイ，権兵衛とカモ，ウグイスのほけきょう，米良の上ウルシ，竜宮のおよめさん，キツネとカワウソ，こぶとりじいさん，ネズミ経，サルとお地蔵さま，歌のじょうずなカメ

内容 ほっぺたにこぶのあるおじいさんが、天狗の歌につられておどりだす「こぶとりじいさん」のほか、「権兵衛とカモ」「ウグイスのほけきょう」「犬かいさんとたなばたさん」など十九編を収録。総ルビ、豊富なさし絵で楽しく読みやすいシリーズです。小学中級以上向き。

偕成社　2007.12　183p　19cm　（偕成社文庫）　700円

Ⓘ978-4-03-551020-8　Ⓝ913.6

『ツルの恩がえし』
坪田譲治著

目次 ネコとネズミ，ネズミの国，むかしのキツネ，キツネとカワウソ，権兵衛とカモ，おじいさんとウサギ，一寸法師，歌のじょうずなカメ，ウグイスのほけきょう，山の神のうつぼ，山姥と小僧，箕づくりと山姥，クラゲ骨なし，ネズミのすもう，古屋のもり，お地蔵さま，初夢と鬼の話，わらしべ長者，ツルの恩がえし，米良の上ウルシ，サル正宗，灰なわ千たば，天狗のかくれみの，龍宮と花売り，木仏長者，天人子，牛方と山姥，姉と弟，金剛院とキツネ，沢右衛門どんのウナギつり，桃太郎，民話論，はるかなるものに寄せる心

岩崎書店　1986.10　272p　21cm　(坪田譲治童話全集 10)　1400円
Ⓘ4-265-02710-5　Ⓝ913

鶴見 正夫　つるみ まさお

〈あまやどり〉

(東書)「新しい国語 二下」 2015, 2020, 2024

『日本海の詩―鶴見正夫少年詩集』
鶴見正夫著，篠原勝之絵

目次 ぼくと月（ぼくとイヌ，ぼくと月 ほか），忍者の笑い（一ぴきのカニ，ある日の日本海 ほか），こどものうたから（雨のうた，シャボンとズボン ほか），生きる（ウミガラス，ライチョウ ほか），歩く（ある日、山で…，ある日、夢で… ほか）

理論社　1997.10　155p　21cm　(詩の散歩道・PART2)　1600円
Ⓘ4-652-03824-0　Ⓝ911.56

『日本海の詩―鶴見正夫少年詩集』
鶴見正夫著，篠原勝之絵

理論社　1974　141p　23cm　(現代少年詩プレゼント)
Ⓘ4-652-03405-9　Ⓝ911.56

〈あめのうた〉

(教出)「ひろがることば　しょうがくこくご 一下」 2020, 2024

〈雨のうた〉

(光村)「こくご たんぽぽ 二上」 2020, 2024　(三省堂)「小学生のこくご 二年」 2011, 2015

『雨のうた』

鶴見正夫詩，いわむらかずお絵

内容 幼い心と自然への愛でいっぱい。やさしい詩人とすてきな画家の、たのしい詩の本。

白泉社　1989.7　1冊　26cm　1010円
Ⓘ4-592-76052-2

『あめふりくまのこ』

鶴見正夫詩，鈴木康司絵

目次 このはなひとつ，おうむ，はるがきたから，あめふりくまのこ，シャボンとズボン，さかなとさかな，おほしさん，ひよこちゃん，雨のうた，あまぐつながぐつ〔ほか〕

内容 『現代日本童謡詩全集』（全二十二巻）は、第二次大戦後に作られた数多くの童謡から、「詩」としてのこった作品の、作者別集大成です。一九七五年刊行の初版（全二十巻）は、画期的な出版と評価され、翌年「第六回赤い鳥文学賞」を受けました。詩の世界に新しい灯をともした有力な詩人、画家の登場を得、親しまれている曲の伴奏譜を収めて巻数をふやし、出典などの記録も可能なかぎり充実させて、時代にふさわしい新装版。

国土社　2002.12　77p　24×22cm　（現代日本童謡詩全集 6）　1600円
Ⓘ4-337-24756-4　Ⓝ911.56

『あめふりくまのこ』

鶴見正夫著

目次 このはなひとつ，おうむ，はるがきたから，あめふりくまのこ，シャボンとズボン，さかなとさかな，おほしさん，ひよこちゃん，雨のうた，あまぐつながぐつ〔ほか〕

国土社　1982.7　78p　21cm　（国土社の詩の本 15）　1359円
Ⓘ4-337-24715-7　Ⓝ911.58

『日本海の詩―鶴見正夫少年詩集』

鶴見正夫著，篠原勝之絵

目次 ぼくと月（ぼくとイヌ，ぼくと月 ほか），忍者の笑い（一ぴきのカニ，ある日の日本海 ほか），こどものうたから（雨のうた，シャボンとズボン ほか），生きる（ウミガラス，ライチョウ ほか），歩く（ある日、山で…，ある日、夢で… ほか）

理論社　1997.10　155p　21cm　（詩の散歩道・PART2）　1600円
Ⓘ4-652-03824-0　Ⓝ911.56

〈あるけあるけ〉

（東書）「あたらしいこくご 一上」 2011, 2015, 2020, 2024

『日本海の詩―鶴見正夫少年詩集』

鶴見正夫著，篠原勝之絵

目次 ぼくと月（ぼくとイヌ，ぼくと月 ほか），忍者の笑い（一ぴきのカニ，ある日の日本海 ほか），こどものうたから（雨のうた，シャボンとズボン ほか），生きる（ウミガラス，ライチョウ ほか），歩く（ある日、山で…，ある日、夢で… ほか）

理論社 1997.10 155p 21cm （詩の散歩道・PART2） 1600円

Ⓘ4-652-03824-0 Ⓝ911.56

『日本海の詩―鶴見正夫少年詩集』

鶴見正夫著，篠原勝之絵

理論社 1974 141p 23cm （現代少年詩プレゼント）

Ⓘ4-652-03405-9 Ⓝ911.56

〈はなび〉

（光村）「国語 わかば 三上」 2020, 2024

『らんどせるのうた』

鶴見正夫詩，渡辺三郎絵

国土社 1983.2 23p 26cm （しのえほん 3） 1600円

Ⓘ4-337-00303-7 Ⓝ911.56

得田 之久 とくだ ゆきひさ

〈ぼく、だんごむし〉

（三省堂）「小学生のこくご 二年」 2011, 2015

『ぼく、だんごむし』

得田之久文，たかはしきよし絵

内容 やあ！こんにちは。僕のことなんだかわかる？僕はだんごむし。だんごむしの視点からだんごむしの生態を描く絵本。『かがくのとも』から装丁を新たにして出版。

福音館書店　2003.7（初版 2005.4）　27p　26×24cm　838円
Ⓘ4-8340-2083-5　Ⓝ485.3

トレセルト，アルビン

〈とらとおじいさん〉

(光村)「国語 あおぞら 三下」 2011

『とらとおじいさん　新装版』

アルビン・トレセルト文，光吉夏弥訳，アルバート・アキノ絵

内容 とらは、おりからだしてたすけてくれたおじいさんをたべようとします…。とらさん！そのまえに、だれかにちょっときいてみたいんだ。おまえさんがわしをたべるというのがむちゃでないかどうか、きいてみたいんだよ。小学校低学年向。

大日本図書　2011.2　56p　21cm　（ゆかいなゆかいなおはなし）　1200円
Ⓘ978-4-477-02379-3　Ⓝ933.7

『とらとおじいさん―ちいさいげき』

アルビン・トレセルトぶん，光吉夏弥やく，アルバート・アキノえ

大日本図書　1983.2　56p　22cm　（ゆかいなゆかいなおはなし）　800円

中江 俊夫　なかえ としお

〈たべもの〉

(学図)「みんなと学ぶ 小学校こくご 二年上」 2015, 2020

『たべもの』

中江俊夫ぶん，伊藤秀男え

内容 もこもこさといも、ほこほこさつまいも、はりはり大根、ぱりぱりたくあん…。みんなが毎日食べるごはん、食べものが次々と出てきます。食卓のまわりの野菜、お魚、くだものを描いた絵本

福音館書店　1985.10（初版 1994.1）23p　22cm　（福音館の幼児絵本）　700 円
Ⓘ4-8340-1236-0

『いるかいないか―ことばあそび』
新川和江編，早川良雄絵

目次 たんぽぽ（川崎洋），ののはな（谷川俊太郎），ことこ（谷川俊太郎），あいうえお･ん（鶴見正夫），がぎぐげごのうた（まど･みちお），きゃきゅきょのうた（まど・みちお），いるか（谷川俊太郎），さる（谷川俊太郎），毛（川崎洋），わらべうた 数えうた，年めぐり（阪田寛夫），らくだ（都築益世），だぶだぶおばさん（木村信子），たべもの（中江俊夫），こわれたすいどう（谷川俊太郎），もじさがしのうた（岸田衿子），がいらいごじてん（まど・みちお），きちきちばった（平原武蔵），さかさのさかさは、さかさ（川崎洋），踏む（木村信子）

太平出版社　1987.12　66p　22cm　（小学生･詩のくにへ 10）　1600 円
Ⓝ911.568

『うそうた―中江俊夫少年詩集』
中江俊夫作，広野多珂子絵

理論社　1986.2　109p　21×16cm　（詩のみずうみ）　1200 円
Ⓘ4-652-03418-0　Ⓝ911

『みえる詩 あそぶ詩 きこえる詩』
はせみつこ編，飯野和好絵

目次 いるか（谷川俊太郎），かのいろいろ（阪田寛夫），春のこいうた（有馬敲），ちょうちょう（はたなか･けいいち），もぐら（まど･みちお），へんてこ動物園（織田道代），あっ、いいな（筏丸けいこ），名づけあそびうた（川崎洋），なくしもの（木村信子），ないてるんだい（香山美子）〔ほか〕

内容 心に見える詩のアンソロジー。小学校低学年からおとなまで。

冨山房　1997.4　167p　21cm　2200 円
Ⓘ4-572-00469-2　Ⓝ911.568

なかがわ りえこ

〈くじらぐも〉

(光村)「こくご ともだち 一下」 2011, 2015, 2020, 2024

『こぎつねコンチとおかあさん―読んで聞かせるお話・21篇』

中川李枝子著

目次 けんた・うさぎ，くじらぐも，カバオのひっこし，ギックと赤かぶ，ぼうし，たんたとひょうの子バリヒ，大きなおなべ，ちいさいおばさん，るすばん，たんぽぽ，こぐまのサム，なわとび，くじらの家，子犬ロクの一日，おのぼせロクちゃん，少女とおばあさん，少女とライオン，少女とひみつ，少女とうさぎ，少女とこぶた，こぎつねコンチとおかあさん

角川書店 1977.6 261p 15cm （角川文庫） 260円
Ⓝ913.8

『くじらぐもからチックタックまで』

石川文子編

目次 くじらぐも（中川李枝子），チックタック（千葉省三），小さい白いにわとり（(ウクライナの民話）光村図書出版編集部編），おおきなかぶ（内田莉莎子訳，A.トルストイ再話），かさこじぞう（岩崎京子），ハナイッパイになあれ（松谷みよ子），おてがみ（三木卓訳，アーノルド・ローベル原作），スイミー（谷川俊太郎訳，レオ＝レオニ原作），馬頭琴（(モンゴルの民話）君島久子訳），おじさんのかさ（佐野洋子），花とうぐいす（浜田広介），いちごつみ（神沢利子），おかあさんおめでとう（『くまの子ウーフ』より）（神沢利子），きつねのおきゃくさま（あまんきみこ），きつねの子のひろった定期券（松谷みよ子），きつねの窓（安房直子），やまなし（宮澤賢治），最後の授業（桜田佐訳 アルフォンス・ドーデ原作），譲り葉（河井酔茗），雨ニモマケズ（宮澤賢治）

内容 昭和40年から現在までこくごの教科書のおはなしベスト20。「もう一度読みたい」リクエスト作品と、採用頻度の高い作品で作りました。教科書でしか読めなかった名作『くじらぐも』が、初めて教科書から飛び出しました。

フロネーシス桜蔭社，メディアパル〔発売〕 2008.11 222p 19cm 1400円
Ⓘ978-4-89610-746-3 Ⓝ913.68

『みんなが読んだ教科書の物語』

国語教科書鑑賞会編

目次 おおきなかぶ（ロシア民話、西郷竹彦・再話），くじらぐも（中川李枝子），チックとタック（千葉省三），花いっぱいになあれ（松谷みよ子），くまの子ウーフ（神沢利子），ろくべえまってろよ（灰谷健次郎），たんぽぽ（川崎洋），かさこ地ぞう（岩崎京子），ちいちゃんのかげおくり（あまんきみこ），モチモチの木（斎藤隆介）〔ほか〕

内容 大人になった今、読み返すと新しい発見がある！小学1年〜6年生の授業で習った名作がズラリ。

リベラル社，星雲社〔発売〕 2010.9 165p 21cm 1200円
Ⓘ978-4-434-14971-9 Ⓝ913.6

長崎 源之助　ながさき げんのすけ

〈えんぴつびな〉

（三省堂）「小学生の国語 学びを広げる 三年」 2011

『えんぴつびな』

長崎源之助作，長谷川知子絵

内容 わたしの宝物は、ちびた鉛筆で作ったおひな様。疎開先で、あばれん坊のシンペイちゃんがくれたものです。でも三人官女の約束をした晩に、シンペイちゃんは空襲で死にました…。

金の星社 1984.2 1冊 27cm
（絵本のおくりもの） 1300円
Ⓘ4-323-00284-X Ⓝ913.6

『戦争と平和のものがたり 2 《一つの花》』

西本鶏介編，狩野富貴子絵

目次 一つの花（今西祐行），えんぴつびな（長崎源之助），ロシアパン（高橋正亮），村いちばんのさくらの木（来栖良夫），おかあさんの木（大川悦生），お母さん、ひらけゴマ！（西本鶏介），すずかけ通り三丁目（あまんきみこ）

内容 「一つだけのお花、だいじにするんだよ。」お父さんは、一りんのコスモスをゆみ子にわたすと、戦争にいきました。それから、十年―、ゆみ子は、

おとうさんの顔をおぼえていません。表題作「一つの花」はじめ、戦争の時代を生きた作家が伝える、忘れてはならない大切なものがたり。

ポプラ社　2015.3　125p　21×16cm　1200円
Ⓘ978-4-591-14372-8　Ⓝ913.68

『戦争と平和子ども文学館 8』

目次 じろはったん（森はな），兵隊ばあさん（赤座憲久），えんぴつびな（長崎源之助），ガラスの花嫁さん（長崎源之助），おばあさんのとっくり（砂田弘），ぐみ色の涙（最上一平），ともしび（杉みき子），猫は生きている（早乙女勝元）

日本図書センター　1995.2　270p　22cm　2719円
Ⓘ4-8205-7249-0　Ⓝ918.6

〈つり橋わたれ〉

（学図）「みんなと学ぶ 小学校国語 三年上」 2011, 2015, 2020

『つりばしわたれ』

長崎源之助著，鈴木義治画

内容 東京からきた女の子，トッコは山のつりばしがこわくてわたれない。ところがある日，やまびこがカスリの着物を着てあらわれて…。

岩崎書店　1976.2　28p　25cm（母と子の絵本 28）1100円
Ⓘ4-265-90728-8　Ⓝ913.6

『つりばしわたれ』

長崎源之助作，山中冬児絵

内容 ふじづるでできている橋の下には、谷川がごうごうとしぶきをあげています。人が歩くとよくゆれるこの橋へ来ると、負けず嫌いのトッコも足がすくんでしまうのです…。表題作ほか6編の名作童話を収録。

岩崎書店 1995.4 85p 22cm（日本の名作童話 10）1500円
Ⓘ4-265-03760-7　Ⓝ913.68

『つりばしわたれ』

長崎源之助著

目次 つりばしわたれ，たけのはさやさや，ゆうやけの女の子，おにはそと，きつねのはぶらし，きつねのじてんしゃ，小さな小さなキツネ，にげだした学者犬，ひろったかぎ，ゆきごんのおくりもの，ゆきの子うま，かめのこせんべい，大もりいっちょう，えんぴつびな，おかあさんの紙びな，つばめ，ちょうきょりトラックでかでかごう，はしれぼくらの市電たち

内容 トッコはひとり、おばあちゃんの家にあずけられた。山の子どもたちともなじめず、「つりばし」もこわくてわたれない。東京を恋しがるトッコの前に、とつぜん、カスリのきものを着た男の子が現われる。表題作「つりばしわたれ」のほか、「ゆきごんのおくりもの」「ゆうやけの女の子」「えんぴつびな」など18編を収録。

偕成社　1987.11　216p　21cm　(長崎源之助全集 18)　1500円
Ⓘ4-03-740180-0　Ⓝ913.6

『光村ライブラリー 第7巻 《つり橋わたれ―ほか》』
長崎源之助，安房直子，木村裕一著，徳田秀雄ほか挿画

内容 つり橋わたれ（長崎源之助作，徳田秀雄絵），ねずみの作った朝ごはん（安房直子作，柳田明子絵），あらしの夜に（木村裕一作，あべ弘士絵），うぐいすの宿（村上幸一絵），解説 楽しみながらつける「読む力」（中西一弘著）

光村図書出版　2002.3　77p　22cm　1000円
Ⓘ4-89528-105-1

中西 敏夫　なかにし としお

〈ミラクルミルク〉

（学図）「みんなと学ぶ 小学校国語 三年下」 2011，2015 「みんなと学ぶ 小学校国語 三年上」 2020

『みらくるミルク』〔関連図書〕
中西敏夫文，米本久美子絵

内容 ミルクの利用のはじまり、搾乳動物など、人間がほかの動物のミルクを飲んだり、乳製品を食べるようになるまでの歴史や背景を、温かみのある絵でわかりやすく紹介します。バターやヨーグルト、杏仁豆腐などの作り方も収録。

福音館書店　1996.2（初版 2011.3）40p　26cm　(たくさんのふしぎ傑作集)　1300円
Ⓘ978-4-8340-2649-8　Ⓝ648.1

新美 南吉　にいみ なんきち

〈手ぶくろを買いに〉

(三省堂)「小学生の国語 学びを広げる 三年」 2011，2015　(東書)「新しい国語 三下」 2011，2015

『新美南吉童話集―ごんぎつね・手ぶくろを買いになど』

新美南吉著，杉山巧絵，鬼塚りつ子監修

目次 ごんぎつね，子どものすきな神様，木の祭り，花のき村とぬすびとたち，がちょうのたんじょう日，二ひきのかえる，おじいさんのランプ，手ぶくろを買いに，牛をつないだつばきの木，去年の木，でんでんむしの悲しみ，一年生たちとひよめ，貝殻

内容「ごんぎつね」「手ぶくろを買いに」「でんでんむしの悲しみ」など、優しく強い心をはぐくむ名作12話・詩2編。

世界文化ブックス，世界文化社〔発売〕 2022.1 143p 24×19cm
(100年読み継がれる名作) 1200円
Ⓘ978-4-418-21827-1 Ⓝ913.6

『手ぶくろを買いに』

新美南吉作，どいかや絵

内容 生まれてはじめて雪を見た子どものきつねは、そのまぶしさに、そして、あまりのつめたさにびっくりぎょうてん。かあさんぎつねは、そんなぼうやに手ぶくろを買ってあげたいと思うのですが…。

あすなろ書房 2018.1 1冊 30cm 1400円
Ⓘ978-4-7515-2837-2 Ⓝ726.6

『手ぶくろを買いに』

新美南吉作，松成真理子絵

内容 はじめての冬をむかえた子ぎつねは、手ぶくろを買いに町へおりていきました。母ぎつねは、子ぎつねの手のかたほうを、人間の手にかえてやりましたが、子ぎつねがぼうし屋にさしだしたのは、まちがったほうの手でした。いまなお読む人の胸をうつ、南吉童話の不朽の名作。

岩崎書店 2013.7 32p 28×22cm 1400円
Ⓘ978-4-265-83013-8 Ⓝ913.6

『手ぶくろを買いに』

新美南吉文, 牧野鈴子絵

フレーベル館　2003.9　32p　27×21cm　1200円
Ⓘ4-577-02752-6　Ⓝ726.6

『手ぶくろを買いに』

新美南吉作, 黒井健絵

内容 冷たい雪で牡丹色になった子狐の手を見て、母狐は毛糸の手袋を買ってやろうと思います。その夜、母狐は子狐の片手を人の手にかえ、銅貨をにぎらせ、かならず人間の手のほうをさしだすんだよと、よくよく言いふくめて町へ送り出しました。はたして子狐は、無事、手袋を買うことができるでしょうか。新美南吉がその生涯をかけて追求したテーマ「生存所属を異にするものの魂の流通共鳴」を、今、黒井健が情感豊かな絵を配して、絵本として世に問います。

偕成社　1988.3　31p　29×25cm　(日本の童話名作選)　1400円
Ⓘ4-03-963310-5　Ⓝ913.6

『おじいさんのランプ』

新美南吉著, 長野ヒデ子画

目次 手ぶくろを買いに, ごんごろ鐘, うた時計, おじいさんのランプ, 牛をつないだ椿の木, 川, 嘘, 貧乏な少年の話

内容 ランプを売って生計を立てている貧しい巳之助夫婦。電燈の登場により商売はたちゆかなくなる。そのとき巳之助は…。生きることの辛さや悲しみを踏まえ、人間の真実の姿にスポットをあてた、表題作ほか7編を収録。

ポプラ社 2005.11　220p 18cm (ポプラポケット文庫) 570円
Ⓘ4-591-08861-8　Ⓝ913.6

『ごん狐—新美南吉童話傑作選』

新美南吉作, 石倉欣二絵, 新美南吉の会編

目次 手袋を買いに, ごん狐, 狐, 巨男の話, 張紅倫, 鳥右エ門諸国をめぐる

内容 大日本図書刊「校定・新美南吉全集」を定本として、現代の子どもたちに読みやすいよう新字、新仮名遣いにしたシリーズ。「手袋を買いに」「ごん狐」「狐」「巨男の話」「張紅倫」「鳥右エ門諸国をめぐる」の6編を収録。 小峰

小峰書店 2004.6 155p 21cm 1400円
Ⓘ4-338-20004-9 Ⓝ913.6

『ごんぎつね』

新美南吉作

目次 花のき村と盗人たち，おじいさんのランプ，牛をつないだつばきの木，百姓の足、坊さんの足，和太郎さんと牛，ごんぎつね，てぶくろを買いに，きつね，うた時計，いぼ，屁，鳥右ェ門諸国をめぐる

内容 心を打つ名作の数々を残してわずか30歳で世を去った新美南吉。貧しい兵十とキツネのごんとのふれあいを描いた有名な「ごんぎつね」、ほかに「おじいさんのランプ」「花のき村の盗人たち」「和太郎さんと牛」「てぶくろを買いに」など12編。小学4・5年以上。

岩波書店 2002.4 305p 19cm （岩波少年文庫） 720円
Ⓘ4-00-114098-5 Ⓝ913.6

『校定新美南吉全集 第2巻 《童話・小説 2》』

目次 川.嘘.ごんごろ鐘.久助君の話.うた時計.おぢいさんのランプ.貧乏な少年の話.小さい太郎の悲しみ.手袋を買ひに.草.狐.牛をつないだ椿の木.耳.疣.椋の実の思出.銭坊.赤蜻蛉.中秋の空.海から帰る日.張紅倫.巨男の話.解題

大日本図書 1980.6 426p 22cm 4800円
Ⓝ918.68

『新美南吉童話集 新装版』

新美南吉著

目次 手袋を買いに，銭坊，巨男の話，アブジのくに，張紅倫，正坊とクロ，のら犬，ごん狐，幼年童話，丘の銅像，名無指物語，一枚のはがき，童謡・少年詩

内容 教科書で親しんだ「ごん狐」をはじめ、南吉の代表作を全て収録。『ごん狐』『おじいさんのランプ』『花のき村と盗人たち』の全3巻。

大日本図書 2012.12 3冊（セット） 21cm 9000円
Ⓘ978-4-477-02647-3 Ⓝ913.6

『新美南吉童話選集 2』
新美南吉作，牧野千穂絵

目次 手ぶくろを買いに，空気ポンプ，きつね，正坊とクロ，小さい太郎の悲しみ，牛をつないだ椿の木

内容「このおててにちょうどいい手ぶくろください。」するとぼうし屋さんは、おやおやと思いました。きつねの手です。母と子の愛をやさしく描いた「手ぶくろを買いに」、人間のおろかさと善意を描いた「牛をつないだ椿の木」など六編を収録。

ポプラ社　2013.3　134p　21cm　1200円
Ⓘ978-4-591-13306-4　Ⓝ913.6

にしまき かやこ

〈かまわずどんどん〉

(教出)「ひろがることば 小学国語 二下」 2020

『おおきなねこのクロとちいさなねこのシロ』
にしまきかやこ作

目次 トカゲ，かだんにばくだん，かまわずどんどん，つちのなかへ

偕成社　2000.10　78p　20×16cm　1000円
Ⓘ4-03-439230-4　Ⓝ913.6

西村 祐見子　　にしむら ゆみこ

〈木の葉〉

(東書)「新しい国語 三下」 2011

『せいざのなまえ―西村祐見子童謡集』
西村祐見子著，矢崎節夫選

目次 澄んだまなざし，ことり，こくばん，せいざの なまえ，小さな林，ほたるぶくろ

内容 金子みすゞにつながる童謡の世界に、長い間待たれていた新人が、つ

いに登場しました。どうぞ頁をひらいてください。きっと、あたたかい、やさしい気持ちにつつまれることでしょう。

JULA 出版局　2000.12　119p　18cm　1000 円
Ⓘ4-88284-077-4　Ⓝ911.58

ニューマン，マージョリー

〈あいしているから〉

（三省堂）「しょうがくせいのこくご 一年下」 2011, 2015

『あいしているから』

マージョリー・ニューマン文，パトリック・ベンソン絵，久山太市訳

内容 モールくんは、すからおちたひなどりをみつけて、いえにつれてかえることにしました。でも、やせいのことりはペットにはなりません…。何かを、またはだれかを本当に愛するということは、あいてにとっていちばん必要なことをしてあげること。たとえ自分にとって、それがどんなにつらいことでも…。この心あたたまる美しい絵本は、そんな思いを読者に語りかけてくれます。

評論社　2003.10　1 冊　25 × 28cm　（児童図書館・絵本の部屋）　1300 円
Ⓘ4-566-00763-4　Ⓝ726.6

ねじめ 正一　ねじめ しょういち

〈あいうえおにぎり〉

（三省堂）「しょうがくせいのこくご 一年上」 2011, 2015

『えほん あいうえおにぎり』

ねじめ正一文，いとうひろし絵

内容 あ行はおにぎり、か行はコロッケ…わ行のおもちまで食べるともうおなかいっぱい。

偕成社　2010.9　1冊　26×21cm　1000円
Ⓘ978-4-03-331860-8　Ⓝ726.6

『あいうえおにぎり―大きな声で読む詩の絵本』
ねじめ正一作，いとうひろし絵

目次 あいうえおにぎり，こめつぶ，おっぱい，あ，ぽっかりたっぷり，うなぎでうきうき，とり，ゆうかん，いけどり，ぼう，ぎっくりごし，うんこ，わに，もんくたらたら，ぼうさん，ふんづける，あかさたなたいそう，いろははなびろけっと

内容 この絵本は詩の絵本です。ぜんぶ、ひらがなの詩です。本をひらいて、じっくり絵をみて、ひとつひとつ、声にだして読んでみてください。

偕成社　2001.5　45p　21cm　1000円
Ⓘ4-03-439410-2

『かさぶたってどんなぶた―あそぶことば』
小池昌代編，スズキコージ画

内容 詩を読もう、ことばを感じよう。ことばを紡ぐ詩人・小池昌代ベストセレクト×絵本の魔術師・スズキコージ。よりすぐりの詩と人気絵本画家が奏でる極上のハーモニー。シリーズ第1巻。

あかね書房　2007.9　1冊　25×21cm
（絵本かがやけ詩）　1800円
Ⓘ978-4-251-09251-9　Ⓝ911.568

野中 柊　　のなか ひいらぎ

〈紙ひこうき、きみへ〉
（教出）「ひろがる言葉 小学国語 三上」 2024

『紙ひこうき、きみへ』
野中柊作，木内達朗絵

内容 朝、目がさめて、森にふきわたる風の音を聞いたとき、シマリスのキリリは「今日はきっとなにかある。とくべつなこと！」と思ったんです。でも、朝ごはんを

食べるころには、もうすっかり、わすれていました。ごはんのあとにせんたくもして、さて、お昼ごはんにはなにを食べようかな、と考えていると、青い紙ひこうきがとんできて…。

偕成社　2020.4　53p　22cm　1500円
Ⓘ978-4-03-528580-9　Ⓝ913.6

野呂 昶　のろ さかん

〈おとのはなびら〉

(光村)「こくご 赤とんぼ 二下」 2020, 2024

『野呂昶詩集』

野呂昶著

目次 詩篇（詩集『天のたて琴』（全篇），詩集『ふたりしずか』から，詩集『おとのかだん』から），童話篇，エッセイ・評論篇，詩人論・作品論他

内容 自然の奏でる音楽と美しい意匠に微笑し合う詩篇たち。

いしずえ　2003.3　172p　19cm　（現代児童文学詩人文庫 1）　1200円
Ⓘ4-900747-81-5　Ⓝ911.56

〈ねぎぼうずのがくたい〉

(学図)「みんなと学ぶ 小学校こくご 二年上」 2015, 2020

『おとのかだん―少年詩集』

のろさかん詩，ふくしまひふみ絵

内容 おとのはなびら・おふとんトンネル・さくらんぼ・ゆうひのてがみ・かれはのことり・ちょうちょ・ねぎぼうずのがくたい・ざくろ・あじさい・秋・みずひき・アメンボ・カニ・砂の祭り・つけものの思い出・さんざえの祭り・ある魚たちの風景 ほか

教育出版センター　1983.10　79p　22cm　1000円
Ⓘ978-4-87786-026-6　Ⓝ911

『いま、1分間が光る 幼児と遊ぶ101の詩』

武鹿悦子編

目次 ちょうちょうさん，くまさん，ねぎぼうずのがくたい，つくし，へび

のあかちゃん，あかいかにこがに，たんぽぽ，そら豆，かえるのぴょん，たけのこ ぐん！〔ほか〕

ひかりのくに　1997.5　197p　21×19cm　1800円
Ⓘ4-564-60370-1　Ⓝ911.568

〈ゆうひのてがみ〉

（教出）「ひろがる言葉 小学国語 三下」 2011, 2015

『ゆうひのてがみ―野呂昶詩集』
野呂昶著

教育出版　1997.6　79p　17cm　476円
Ⓘ4-316-40008-8　Ⓝ911.56

『おとのかだん―少年詩集』
のろさかん詩，ふくしまひふみ絵

教育出版センター　1983.10　79p　22cm　1000円
Ⓝ911

『本は友だち４年生』
日本児童文学者協会編

目次 八本足のイカと十本足のタコ（斉藤洋），飛べ！あげはちょう（高井節子），電車にのって（竹下文子），花咲き山（斎藤隆介），やい、とかげ（舟崎靖子），きつね（佐野洋子），詩・ピーマン（はたちよしこ），詩・ゆうひのてがみ（野呂昶），まだ、もう、やっと（那須正幹），月の輪グマ（椋鳩十），エッセイ・四年生のころ 兄と姉の思い出（上条さなえ）

内容 この本には、「国語」の教科書でおなじみの作品をはじめ、現代の子どもの文学の世界を代表する作家たちの作品が集められています。

偕成社　2005.3　143p　21cm　（学年別・名作ライブラリー 4）　1200円
Ⓘ4-03-924040-5　Ⓝ913.68

『心にひびく名作読みもの４年―読んで、聞いて、声に出そう』
府川源一郎，佐藤宗子編

目次 青銅のライオン（瀬尾七重），走れ（村中李衣），八郎（斎藤隆介），飛び方のひみつ（東昭），ゆうひのてがみ（野呂昶），『のはらうた』より―さんぽ、おがわのマーチ（工藤直子）

内容 小学校国語教科書に掲載された名作（物語・説明文・詩）を学年別に収録。発達段階に応じた教科書表記を採用。難意語には注を記載。発展学習にも役立つよう、交ぜ書きから読み仮名付きの漢字へ適宜変更。当時の教科書に使用された挿絵を掲載。俳優・声優による格調高い朗読をCDに収め各巻に添付。

教育出版　2004.3　70p　21cm　2000円
Ⓘ4-316-80088-4　Ⓝ913.6

灰谷 健次郎　はいたに けんじろう

〈ろくべえまってろよ〉

(学図)「みんなとまなぶ しょうがっこうこくご 一ねん下」 2011, 2015, 2020 (三省堂)「しょうがくせいのこくご 一年下」 2011, 2015

『ろくべえまってろよ』

灰谷健次郎著，長新太画

内容 犬のくせに穴におちたろくべえ。「ろくべえ。がんばれ。」みんなくちぐちに言いますが、どうやって助ければいいのでしょう。

文研出版　1975.8　30p　29cm
（ぽっぽライブラリ みるみる絵本）　1300円
Ⓘ4-580-81393-6　Ⓝ913.6

『ろくべえ まってろよ』

灰谷健次郎著

目次 ろくべえ まってろよ，マコチン，マコチンとマコタン，なんやななちゃん なきべそしゅんちゃん，子どもになりたいパパとおとなになりたいぼく，しかられなかった子のしかられかた，さよならからみきぼうはうまれた，ふたりはふたり

内容 犬のろくべえが穴に落ちてしまった。なんとかしてろくべえを助けなきゃ！一年生の子どもたちがみんなで考え出した「めいあん」とは？表題策「ろくべえ まってろよ」の他、天真爛漫な男の子・マコチンの生活を描いた「マコチン」、何でも同じになってしまうのが悩みのふたごの女の子の物語「ふたりはふたり」など、八編の童話を収録。子どもたちのみずみずしい感性がきらめく一冊。

角川書店　1998.3　219p　15cm　（角川文庫）　457円
Ⓘ4-04-352003-4　Ⓝ913.6

『国語教科書にでてくる物語 1年生・2年生』

斎藤孝著

目次 1年生（タヌキのじてんしゃ（東君平），おおきなかぶ（トルストイ），サラダでげんき（角野栄子），いなばの白うさぎ（福永武彦），しましま（森山京），はじめは「や!」（香山美子），まのいいりょうし（稲田和子・筒井悦子），ゆうひのしずく（あまんきみこ），だってだってのおばあさん（佐野洋子），ろくべえまってろよ（灰谷健次郎），2年生（ちょうちょだけになぜなくの（神沢利子），きいろいばけつ（森山京），三まいのおふだ（瀬田貞二），にゃーご（宮西達也），きつねのおきゃくさま（あまんきみこ），スーホの白い馬（大塚勇三），かさこじぞう（岩崎京子），十二支のはじまり（谷真介），泣いた赤おに（浜田廣介））

ポプラ社　2014.4　284p　18cm　（ポプラポケット文庫）　700円

Ⓘ978-4-591-13916-5　Ⓝ913.68

『みんなが読んだ教科書の物語』

国語教科書鑑賞会編

目次 おおきなかぶ（ロシア民話、西郷竹彦・再話），くじらぐも（中川李枝子），チックとタック（千葉省三），花いっぱいになあれ（松谷みよ子），くまの子ウーフ（神沢利子），ろくべえまってろよ（灰谷健次郎），たんぽぽ（川崎洋），かさこ地ぞう（岩崎京子），ちいちゃんのかげおくり（あまんきみこ），モチモチの木（斎藤隆介）〔ほか〕

内容 大人になった今、読み返すと新しい発見がある！小学1年～6年生の授業で習った名作がズラリ。

リベラル社，星雲社〔発売〕　2010.9　165p　21cm　1200円

Ⓘ978-4-434-14971-9　Ⓝ918.6

はせ みつこ

〈ことばはつなぐ…〉

（光村）「国語 あおぞら 三下」　2020, 2024

『みえる詩 あそぶ詩 きこえる詩』

はせみつこ編，飯野和好絵

目次 いるか（谷川俊太郎），かのいろいろ（阪田寛夫），春のこいうた（有馬敲），ちょうちょう（はたなか・けいいち），もぐら（まど・みちお），へんてこ動物園（織田道代），あっ、いいな（筏丸けいこ），名づけあそびうた（川崎洋），なくしもの（木村信子），ないてるんだい（香山美子）〔ほか〕

内容 心に見える詩のアンソロジー。小学校低学年からおとなまで。

冨山房　1997.4　167p　21cm　2200円
Ⓘ4-572-00469-2　Ⓝ911.568

はせがわ せつこ

〈こねこをだいたことある？〉

(教出)「ひろがることば しょうがくこくご 一下」 2015

『こねこをだいたことある？』

長谷川摂子ぶん，降矢洋子え

内容 人間の五感を存分に生かして、触ったり、声を出したり、聞き取ったり、感じたりとさまざまな感覚の存在を体験しよう。詩情あふれる文章とあたたかな版画による絵とで、近くの世界に遊びます。

福音館書店　1985.1（初版 1993）　26p　26cm　（かがくのとも特製版）　757円

羽曽部 忠　はそべ ただし

〈おむすびころりん〉

(光村)「こくご かざぐるま 一上」 2011, 2015, 2020, 2024

『世界で一番、夕焼けが美しい町のできごと』

羽曽部忠詩・絵

目次 おむすびころりん，ろばた，椿地蔵，ケヤキ若葉の，少年と少女・やがて（大雪の日に，白い膝小僧，インキ花，マンション「さくらが丘」のモンシロチョウ，雪はよこちょに，タンポポ，マンションが建つ ビルが建つ，青い空，残暑見舞い），眠りたい（夕焼け色の，樹医コウスケおじ，同級生，眠りたい はしゃぎたい，山さ寝る）

内容 白秋童謡に影響をうけて詩を書きはじめた初期の作品から、現在国語教科書（光村図書）に収載されているバラード「おむすびころりん」まで。愛唱詩には故郷賛歌がもりだくさん。独特の羽曽部節が利いている詩と童謡詩が楽しめる34篇の自選詩集。

かど創房　1993.2　106p　21cm　（創作文学シリーズ詩歌）　1262円
Ⓘ4-87598-037-X　Ⓝ911.56

蜂飼 耳　　はちかい みみ

〈葉っぱ〉

(教出)「ひろがる言葉 小学国語 三下」 2020, 2024

『のろのろひつじとせかせかひつじ』

蜂飼耳作，ミヤハラヨウコ絵

目次 軽くなる日，箱のなかみ，葉っぱ，王さまの町，青いマフラー，いとこ

内容 みはらしのよい丘に、となりどうしでくらしているひつじたちは、いっしょにあそんだり、おしゃべりしたり、とおくへでかけたりします。…ともだちといると、自分のことが見えてくる。小学校中学年から。

理論社　2009.1　109p　21cm　（おはなしルネッサンス）　1200円

Ⓘ978-4-652-01311-3　Ⓝ913.6

浜田 広介　　はまだ ひろすけ

〈ないた赤おに〉

(教出)「ひろがることば 小学国語 二下」 2011, 2015, 2020, 2024
(東書)「新しい国語 二下」 2015, 2020

『ないた赤おに』

浜田広介作，いもとようこ絵

内容 赤おにの立てふだ「ココロノヤサシイオニノウチデス。ドナタデモオイデクダサイ。オイシイオカシガゴザイマス。オチャモワカシテゴザイマス。」は、赤おにの無邪気でいじらしい気持ちがこぼれんばかりです。そして最後の「アカオニクンニンゲンタチトハドコマデモナカヨクマジメニツキアッテタノシククラシテイッテクダサイ。ボクハシバラクキミニハオメニカカリマセン。」で始まる青おにの言葉！この青おにの言葉は、友だちのすばらしい愛と勇気がいっぱい、いっぱいです。「ドコマデモキミノトモダチアオオニ」と書いているところは、なんとい

う深い深い愛の言葉でしょう。何度読んでも感激がうすれることはありません。

金の星社　2005.5　48p　31×23cm　（大人になっても忘れたくない いもとようこ名作絵本）　1400円

Ⓘ4-323-03882-8　Ⓝ726.6

『ないた赤おに』

浜田広介作，nakaban 絵

内容 さびしがりやの赤おにと、孤独に耐える強さを持つ青おに。なぜ赤おには人間と仲良くなりたかったの？赤おには青おにの友情に気づくのが遅すぎたの。

集英社　2005.3　1冊　27×22cm　（ひろすけ童話絵本）　1600円

Ⓘ4-08-299010-0　Ⓝ726.6

『ないたあかおに』

浜田廣介作，野村たかあき絵

内容 にんげんとともだちになりたい、こころのやさしいあかおに。でも、なかなかうまくいきません。すると、なかまのあおおにがやってきて、あかおににあるていあんをしますが…。発表から80年たったいまも愛されつづける心やさしいおにたちの友情を描いた、不朽の名作。

講談社　2013.11　1冊　27×22cm　（講談社の名作絵本）　1300円

Ⓘ978-4-06-218656-8　Ⓝ913.6

『泣いた赤おに』

浜田広介作，つちだのぶこ絵

内容 ドコマデモキミノトモダチ…見返りを求めることなく、ただ、友の幸せを願う青おにの姿が、胸をうつ、かなしくも、あたたかいひろすけ童話の最高傑作。

あすなろ書房　2016.7　46p　26×20cm　1500円

Ⓘ978-4-7515-2811-2　Ⓝ913.6

『泣いた赤おに』

浜田廣介著

目次 こがねのいなたば，よぶこ鳥，花びらのたび，一つの願い，むく鳥のゆめ，じぞうさまとハタオリ虫，砂山の松，ますとおじいさん，犬と少年，りゅうの目のなみだ，五ひきのヤモリ，さむい子もり歌，泣いた赤おに，第三のさら，おかの上のきりん

内容 自分を犠牲にする、無償の友情のうつくしさが心にせまる表題作ほか、どんな不幸にあっても、どんなに孤独になっても耐え、他者への愛を優先させる、本当の善なる心をテーマにした魅力的な童話。表題作ほか14編を収録。

ポプラ社　2006.3　198p　18cm　（ポプラポケット文庫）　570円
Ⓘ4-591-08862-6　Ⓝ913.6

『泣いた赤おに』

浜田広介作，西村敏雄絵，宮川健郎編

内容 人間たちとなかよくくらしたい赤おには、家のまえに「どなたでもおいでください」と立て札を立てますが、だれもきませんでした。赤おにと青おにの友情を描く名作童話。

岩崎書店　2012.7　69p　21cm
（1年生からよめる日本の名作絵どうわ 3）　1000円
Ⓘ978-4-265-07113-5　Ⓝ913.6

『泣いた赤おに』

浜田広介作，梶山俊夫絵

内容 鬼には生まれてきたが、鬼どものためによいことばかりをしてみたい、できることなら人間たちのなかまになって、なかよくくらしていきたい、赤鬼が、そう思って村人に親しまれようと苦労をします。青鬼が、その赤鬼を信用させるために、犠牲になって助けます—。鬼同志のまごころがおりかさなってひびきあい、読者の胸深くにとどく「ひろすけ童話」の代表傑作です。

偕成社　1993.1　47p　29×25cm　（日本の童話名作選）　2000円
Ⓘ4-03-963590-6　Ⓝ913.6

『齋藤孝の親子で読む国語教科書 2年生』

斎藤孝著

目次 ちょうちょだけになぜなくの（神沢利子），きいろいばけつ（森山京），三まいのおふだ（瀬田貞二），にゃーご（宮西達也），きつねのおきゃくさま（あまんきみこ），スーホの白い馬（大塚勇三），かさこじぞう（岩崎京子），十二支のはじまり（谷真介），泣いた赤おに（浜田廣介）

内容 新しい国語の教科書を習う前に、親子で物語について語り合おう！2年生のための、楽しく、かなしく、心動かされる物語を掲載。齋藤孝のあたたかい解説を味わうことで、新しい読書の世界へのとびらが開きます。

ポプラ社　2011.3　142p　21cm　1000円
Ⓘ978-4-591-12286-0　Ⓝ817.5

林原 玉枝　はやしばら たまえ

〈きつつきの商売〉

(光村)「国語 わかば 三上」 2011, 2015, 2020

『森のお店やさん』

林原玉枝文，はらだたけひで絵

目次 きつつきの商売，幸福のおみくじや，ぽけっとや，ぎんめっきごみぐもの伝言板，かげ売り，空のおふねや，おやおやや

アリス館　1998.10　101p　21cm（おはなしさいた）1300円

Ⓘ4-7520-0109-8　Ⓝ913.6

『教科書にでてくるお話 3年生』

西本鶏介監修

目次 のらねこ（三木卓），きつつきの商売（林原玉枝），ウサギのダイコン（茂市久美子），きつねをつれてむらまつり（こわせたまみ），つりばしわたれ（長崎源之助），手ぶくろを買いに（新美南吉），うみのひかり（緒島英二），サーカスのライオン（川村たかし），おにたのぼうし（あまんきみこ），百羽のツル（花岡大学），モチモチの木（斎藤隆介），かあさんのうた（大野允子），ちいちゃんのかげおくり（あまんきみこ）

内容 現在使われている各社の国語教科書に掲載または紹介されている作品ばかりを集めたアンソロジーです。長く読みつがれている名作、心あたたまるお話、おもしろくて元気がでるお話など、すばらしい作品がいっぱい。作品の表記は原典に忠実にし、全文を掲載しています。教科書では気づかなかった作品の魅力を、新たに発見できるかもしれません。小学校中級から。

ポプラ社　2006.3　186p　18cm（ポプラポケット文庫）570円

Ⓘ4-591-09169-4　Ⓝ913.68

はら くにこ

〈山〉

(学図)「みんなと学ぶ 小学校こくご 二年下」 2011, 2015, 2020

『ゆうべのうちに―原国子詩集』

原国子著，高畠純絵

内容 豊かな自然に恵まれた信州在住の詩人の、暖かな詩の数々を紹介。「梅のつぼみ」「あじさい」「ろうそくのほのお」など、身近な題材を描いた、大人も子どもも楽しめる詩集。

教育出版センター　1995.11　103p　21cm　（ジュニア・ポエム双書 112）　1200円
Ⓘ4-7632-4331-4　Ⓝ911.56

原田 直友　はらだ なおとも

〈はんたいことば〉

(光村)「こくご 赤とんぼ」二下　2020, 2024

『ぱぴぷぺぽっつん』

市河紀子編，西巻茅子絵

目次 あさ・ひる・よる，あした，でんぐりがえり，きょうはいいひ，はんたいことば，ねむいうた，ほし，ゴリラ日記，だあれ?，セーターをかぶるとき〔ほか〕

内容 幼いときから、美しく豊かな日本のことばに親しんでほしいと願って編んだ、子どもたちがはじめて出会うのにぴったりの詩のアンソロジー。神沢利子、岸田衿子、工藤直子、阪田寛夫、谷川俊太郎、原田直友、まど・みちお、与田準一作の詩、四十六編を収録しています。

のら書店　2007.3　125p　19cm　（詩はともだち）　1200円
Ⓘ978-4-931129-25-2　Ⓝ911.568

バーレイ，スーザン

〈わすれられないおくりもの〉

(教出)「ひろがる言葉 小学国語 三上」 2011, 2015, 2020, 2024

〈わすれられないおくり物〉

(三省堂)「小学生の国語 三年」 2011, 2015

『わすれられないおくりもの』

スーザン・バーレイ作・絵，小川仁央訳

内容 アナグマは、もの知りでかしこく、みんなからとてもたよりにされていた。冬のはじめ、アナグマは死んだ。かけがえのない友を失った悲しみで、みんなはどうしていいかわからない…。友だちの素晴しさ、生きるためのちえやくふうを伝えあっていくことの大切さを語り、心にしみる感動をのこす絵本です。

評論社　1986.10　1冊　22 × 27cm　(児童図書館・絵本の部屋)　890円
Ⓘ4-566-00264-0　Ⓝ933.7

『アナグマのもちよりパーティ』〔シリーズ〕

ハーウィン・オラム文，スーザン・バーレイ絵，小川 仁央訳

内容 アナグマが、もちよりパーティを開く。でもモグラは、何も持って行くものがない。するとアナグマは、「じゃあ、君じしんを持って来てよ」と言う。そして、パーティの日…。大人気のアナグマさんが帰ってきました。

評論社　1995.3　1冊　22 × 26cm　(児童図書館・絵本の部屋)　1300円
Ⓘ4-566-00329-9　Ⓝ933.7

『アナグマさんはごきげんななめ』〔シリーズ〕

ハーウィン・オラム文，スーザン・バーレイ絵，小川 仁央訳

内容 大変、大変、あのアナグマさんがつかれて座り込んでるんだって。森のみんなが心配して訪ねてきても会おうともしません。そこでモグラくんは考

えました。みんなが彼をどんなに愛し必要としているかを知らせれば…。

評論社　1998.6　1冊　22×26cm　（評論社の児童図書館・絵本の部屋）　1500円

Ⓘ4-566--00399-X　Ⓝ933.7

久山 太市　ひさやま たいち

〈あいしているから〉

（三省堂）「しょうがくせいのこくご 一年下」 2011, 2015

『あいしているから』

マージョリー・ニューマン文，パトリック・ベンソン絵，久山太市訳

内容 モールくんは、すからおちたひなどりをみつけて、いえにつれてかえることにしました。でも、やせいのことりはペットにはなりません…。何かを、またはだれかを本当に愛するということは、あいてにとっていちばん必要なことをしてあげること。たとえ自分にとって、それがどんなにつらいことでも…。この心あたたまる美しい絵本は、そんな思いを読者に語りかけてくれます。

評論社　2003.10　1冊　25×28cm　（児童図書館・絵本の部屋）　1300円

Ⓘ4-566-00763-4　Ⓝ726.6

〈ずうっと、ずっと、大すきだよ〉

（光村）「こくご ともだち 一下」 2011, 2015, 2020, 2024

『ずーっと ずっとだいすきだよ』

ハンス・ウィルヘルム絵・文，久山太市訳

内容 エルフィーとぼくは、いっしょに大きくなった。年月がたって、ぼくの背がのびる一方で、愛するエルフィーはふとって動作もにぶくなっていった。ある朝、目がさめると、エルフィーが死んでいた。深い悲しみにくれながらも、ぼくには、ひとつ、なぐさめが、あった。それは…

評論社　1988.11　1冊　19×24cm　（児童図書館・絵本の部屋）　980円

Ⓘ4-566-00276-4　Ⓝ933.7

肥田 美代子　ひだ みよこ

〈山のとしょかん〉

(学図)「みんなと学ぶ 小学校こくご 二年上」 2020

〈山の図書館〉

(東書)「新しい国語 三上」 2015

『山のとしょかん』

肥田美代子文，小泉るみ子絵

内容 おばあさんはふしぎな男の子にえほんをよんであげました。すると…。えほんをよんでもらいたくなる、心あたたまるおはなしです。

文研出版 2010.4 1冊 27×22cm（えほんのもり）1300円
Ⓘ978-4-580-82088-3 Ⓝ726.6

日野原 重明　ひのはら しげあき

〈いのちのおはなし〉

(三省堂)「小学生の国語 学びを広げる 三年」 2011

『いのちのおはなし』

日野原重明文，村上康成絵

内容 95歳のわたしから10歳のきみたちへ。「いのちは、どこにあると思いますか」。

講談社　2007.1　1冊　21×22cm　1300円
Ⓘ978-4-06-213793-5 Ⓝ159.5

平山 和子　ひらやま かずこ

〈たんぽぽ〉

（東書）「新しい国語 二上」 2011, 2015, 2020, 2024

『たんぽぽ』

平山和子著

内容 たんぽぽを知っていますか？ 冬の間、葉を低くして地面にひろげていたたんぽぽは、暖かくなると新しい葉を出して立ち上がります。根を掘ってみると、その長さに驚きます。花をよく見ると小さな花の集まりです。この花のひとつずつに実ができて綿毛になります。身近な植物の生態のふしぎさ、そのたくましさを、長年にわたる観察と写生をもとに見事に描きます。実物大に描かれた根や1つずつの小さな花は圧巻です。

福音館書店　1972.4（初版 1976.4）　23p　26cm　（かがくのとも傑作集）　863 円
Ⓘ4-8340-0470-8　Ⓝ479.995

ファイニク，フランツ・ヨーゼフ

〈わたしたち手で話します〉

（学図）「みんなと学ぶ 小学校国語 三年上」 2011 「みんなと学ぶ 小学校国語 三年下」 2015, 2020

『わたしたち手で話します』

フランツ＝ヨーゼフ・ファイニク作，フェレーナ・バルハウス絵，ささきたづこ訳

内容 ある日、耳の不自由な少女リーザが広場へ行くと、子供達がサッカーをしていました。子供達はリーザに話しかけますが、リーザには、伝わりません。そこへ一人の男の子、トーマスがリーザに手話で話しかけます。二人を見ていた子供達も、手話に興味をもち始め、耳の不自由な両親をもつトーマスの家へ、みんなで遊びに行

くことになりました――いつもは気がつかなくても家のなかや外ではいろいろな音がしています。小鳥や虫の声。自動車や電車の走る音。音楽や放送やサイレン。テレビやチャイムや電話やインターホンなど。そういうものが聞こえないと、毎日の生活はどうなるのでしょう？でも、耳が不自由でも楽しいことはこんなにいっぱいあるのです。

あかね書房　2006.1　25p　30 × 22cm　（あかね・新えほんシリーズ）　1400円
Ⓘ4-251-00947-9　Ⓝ726.6

藤 公之介　ふじ こうのすけ

〈スーフと馬頭琴〉

（三省堂）「小学生のこくご 学びを広げる 二年」 2011

『スーフと馬頭琴』

アルタンホヤグ＝ラブサル絵，藤公之介再話

内容 羊飼いの少年スーフと雪のように白い馬ツァスとの強い絆から生まれた楽器「馬頭琴」。モンゴルに伝わる昔話を、日本人作家藤公之介とモンゴルの画家アルタンホヤグ＝ラブサルにより絵本化。朗読と馬頭琴の演奏のCD付き。モンゴル国教育文化科学省から推薦されたはじめての絵本。

三省堂　2010.5　1冊　23×31cm　（モンゴル民話）　1300円
Ⓘ978-4-385-36459-9　Ⓝ726.6

『スーフと白い馬』〔関連図書〕

モンゴル民話より いもとようこ 文絵

内容 昔、モンゴルにスーフという貧しい羊飼いがいました。白い仔馬を拾ったスーフは、妹か弟のようにかわいがり大切に育てます。しかし馬とともに出場した競馬大会で、約束を違えた王にスーフは傷つけられ、馬は命を奪われてしまいます。哀しみにくれるスーフの夢の中で、白い馬は自分の体で楽器を作ってほしいと懇願するのでした。スーフと白い馬の絆が生んだ楽器・馬頭琴は、今日も大草原に生きる人々、動物たちを癒す音色を奏でつづけています…モンゴルの楽器・馬頭琴が馬の形をしているのには　こんな哀しい話があるのです。40年以上愛されている哀しく美しいモンゴル民話。

あかね書房　2012.　40p　28.6cm　1500円
Ⓘ978-4-323-07244-9　Ⓝ726.6

武鹿 悦子　ぶしか えつこ

〈あくび〉

(学図)「みんなと学ぶ 小学校こくご 二年上」 2011

『ともだち―武鹿悦子詩集』

武鹿悦子作，いだゆみ絵

目次 1 あかちゃん（あかちゃんがきた!，もも ほか），2 わらびのげんこつ（つくしつっくん，わらびのげんこつ ほか），3 はるのうし（ざりがに，ひよこ ほか），4 おと（春の山，雨つぶ ほか），5 わたし（なまえ，白いパラソル ほか）

内容 やさしく語りかけるような言葉で身近な植物や動物、ものや人間…そして自分にもあたたかいまなざしを注ぐ、全61編の新作詩集。

理論社　2006.12　140p　21cm　（詩の風景）　1400円
Ⓘ4-652-03857-7　Ⓝ911.56

〈たけのこぐん〉

(東書)「新しい国語 二上」 2011, 2015, 2020, 2024

『たけのこぐん!―武鹿悦子詩集』

武鹿悦子著，伊藤英治編

目次 1 あくしゅ（かず，だいちゃん ほか），2 ほし（はるのみち，秋 ほか），3 かぶとむし（お花見，かたつむり ほか），4 わたげ（たまねぎ，たけのこぐん!ほか）

内容「たけのこぐん!」「せいのび」「うぐいす」など代表作五十六編を収録。

岩崎書店　2010.2　95p　18×19cm
（豊かなことば現代日本の詩 8）　1500円
Ⓘ978-4-265-04068-1　Ⓝ911.568

『雲の窓』

武鹿悦子詩，牧野鈴子絵

内容 とおい雲の城の窓から、だれかがきらっとあたしをみた―だれもが心の奥に持っている、美しい憧れをかきたてられる詩集です。

大日本図書　1991.2　115p　19cm　（小さい詩集）　950円
Ⓘ4-477-00065-0　Ⓝ911.56

『ひろがるひろがるしのせかい　1年生　いちねんせいばんざい』

水内 きくお編著

目次 1 いちねんせいばんざい（たけのこぐん!;ひみつ ほか），2 あいうえおのうた（あいうえお;あいうえおはようもりのあさ ほか），3 どうぶつだいすき（すずめ;ねこゼンマイ ほか），4 たのしいよ（そうだ村の村長さん;ヤダくん ほか），5 ぼく・わたしのうた（ぼく;はきはき ほか）

内容 でんわがなったよ/おめでとうって/ぼくが いちねんせいになったからだ 糸井重里「おめでとうのいちねんせい」など、一年生になったみなさんを応援する詩、毎日を楽しくする詩を集めました。

あゆみ出版　1997.4　78p　20cm　1300円
Ⓘ4-7519-4000-7　Ⓝ911.568

『詩はうちゅう　1年』

水内喜久雄編，太田大輔絵

目次 さあ、一ねんせい（あさだ（小野寺悦子），ひみつ（谷川俊太郎）ほか）あいうえおのうた（あいうえお（神沢利子），おがわのはる（青戸かいち）ほか）かぞくのうた（おかあさんってふしぎ（川崎洋子），とくとうせき（神沢利子）ほか）/どうぶつのうた（きりんはゆらゆら（武鹿悦子），ぞうのかくれんぼ（高木あきこ）ほか）/しょくぶつのうた（たけのこぐん！（武鹿悦子），つくし（山中利子）ほか）/おなら・うんこ・おしり（ぞうさんのおなら（菅原優子），うんこ（谷川俊太郎）ほか）/口のうんどう（ことばのけいこ（与田準一），ヤダくん（小野ルミ）ほか）/たのしいうた（もしも（谷川俊太郎），むしば（関根栄一）ほか）/またあいうえお（あいうえお（新井竹子），あいうえおうた（谷川俊太郎）ほか）/ぼく・わたし（ぼく（秋原秀夫），わたしはいいね（本間ちひろ）ほか）。

ポプラ社　2003.4　155p　20cm　1300円
Ⓘ978-4-591-07587-6　Ⓝ911.568

〈とんこととん〉

(東書)「あたらしいこくご 一上」 2020, 2024

『とんこととん―のねずみくんのおはなし』

武鹿悦子作，末崎茂樹絵

内容 あるひのねずみくんのいえのゆかしたからずんだだ…ずん…ずん…たのしげなおとがきこえてきました。とんこととん!と、ゆかをノックしてみると…。

フレーベル館　2017.5　1冊　27×21cm　1200円
Ⓘ978-4-577-04513-8　Ⓝ726.6

〈白菜 ぎしぎし〉

(教出)「ひろがる言葉 小学国語 三上」 2011

『詩集ねこぜんまい』

武鹿悦子著，高畠純絵

かど創房 1982.12 92p 23cm （かど創房創作文学シリーズ詩歌） 1000円

Ⓘ4-87598-016-7 Ⓝ911

まき さちお

〈あひるのあくび〉

(東書)「あたらしいこくご 一上」 2011, 2015, 2020, 2024

『あいうえお ちえあそび』

小熊康司ほか絵

内容 3歳以上になると、それまで未分化だったいろいろな能力もどんどん発達し将来の学習にとって大切な基礎能力の地固めの時期になります。本書は、そのような時期の幼児のためにつくられた学習絵本です。幼児期に育てておかなければならない思考力や観察力、注意力や推理力、数や言葉の概念など学習の基礎となる能力を楽しく遊びながら養えるよう工夫されています。

ひかりのくに 1989.10 25p 26cm （幼児のがくしゅう百科絵本 1） 600円

Ⓘ4-564-00320-8

松沢 陽士 まつざわ ようじ

〈カミツキガメは悪者か〉

(東書)「新しい国語 三下」 2024

『カミツキガメはわるいやつ？』〔関連図書〕

松沢陽士写真・文

内容 千葉県にある、印旛沼。この沼とその周辺の水辺には、日本にはもともといない外来生物･カミツキガメがすみついています。テレビなどでは、「わるもの」のように取りあげられるカミツキガメ。ほんとうに、わるいやつなのでしょうか？日本ではじめて撮影された自然のなかで生きるカミツキガメ。そのすがたをとおして見えてきた人と自然の問題。

フレーベル館　2015.2　34p　22×28cm　（ふしぎびっくり写真えほん）　1400円
Ⓘ978-4-577-04271-7　Ⓝ487.95

松谷 みよ子　まつたに みよこ

〈ばけくらべ〉

（光村）「国語 わかば 三上」 2011

『ばけくらべ』

松谷みよ子作，瀬川康男絵

内容 昔きつねとたぬきはどちらも化けるのが得意だったので、化けくらべをすることになりました。たぬきは仲間を集めて花嫁行列に化けましたが、お宮の前で、きつねの化けたまんじゅうにとびついて、化けの皮がはがれ大失敗。今に見ておれと、たぬきたちは知恵を絞って、きつねを街道の松並木のところへ呼び出すと……。愉快なお話をダイナミックな絵で描いた絵本。

福音館書店　1964.9（初版 1989.9）　27p 19×27cm　（こどものとも傑作集）　600円
Ⓘ4-8340-0492-9

『つるのよめさま—日本のむかし話 1　23話　新装版』

松谷みよ子作，ささめやゆき絵

目次 つるのよめさま，力太郎，ばけくらべ，きつねとかわうそ，無筆の手紙，花さかじい，じゅみょうのろうそく，ねずみのくれたふくべっこ，玉のみのひめ，きつねとぼうさま，こじきのくれた手ぬぐい，夢買い長者，びんぼう神と福の神，えんまさまと団十郎，こぶとり，てんぐのかくれみの，お月とお星，かねつきどり，水のたね，わかがえりの水，天にどうどう地にがんがん，桃太郎，山んばのにしき

内容 遠いむかしに生まれ、長く人々のあいだに語りつがれてきた、むかし話の数々。たのしい話、かわいそうな話、おそろしい話など、ひとつひとつの話のなかに、人間の生きる知恵や、生きざまが息づいています。児童文学者・松谷みよ子が日本各地に採集し、美しい語り口で再話した『つるのよめさま』をはじめ、『花さかじい』『夢買い長者』『こぶとり』『お月とお星』『桃太郎』ほか。小学中級から。

講談社　2008.10　219p　18cm　（講談社青い鳥文庫）　570円
Ⓘ978-4-06-285046-9　Ⓝ913.6

『読んであげたいおはなし―松谷みよ子の民話 下』

松谷みよ子著

目次 風の兄にゃ，流されてきたオオカミ，月の夜ざらし，山男の手ぶくろ，食べられた山んば，あずきとぎのお化け，しょっぱいじいさま，山んばの錦，米福粟福，狐の嫁とり，こぶとり，ばあさまと踊る娘たち，ばけもの寺，蛇の嫁さん，鬼六と庄屋どん，山の神と乙姫さん，うたうされこうべ，なら梨とり，三人兄弟，三味線をひく化けもの，天にがんがん 地にどうどう，しっぺい太郎，じいよ、じいよ，魔物退治，猿蟹，とっくりじさ，狐と坊さま，化けくらべ，舌切り雀，鐘つき鳥，打ち出の小槌，女房の首，かんすにばけたたぬき，とうきちとむじな，牛方と山んば，一つ目一本足の山んじい，雪女，灰坊の嫁とり，三味線の木，座頭の木，貧乏神と福の神，貧乏神，大みそかの嫁のたのみ，ねずみ にわとり ねこ いたち，その夢、買った，正月二日の初夢，ピピンピヨドリ，雪おなご，セツブーン

内容 くり返し、何度でも、楽しめるはなしばかり。選びぬかれた100篇。見事な語りの松谷民話決定版。下巻には秋と冬のはなしを収録。

筑摩書房　2011.11　297p　15cm　（ちくま文庫）　840円
Ⓘ978-4-480-42892-9　Ⓝ388.1

『ももたろう ばけくらべ ほか』

松谷みよ子文，久住卓也絵

目次 ばけくらべ，はなたれこぞうさま，ふうふうぽんぽん，ももたろう，こばんの虫ぼし

講談社　1998.1　79p　21cm　（むかしむかし 8）　1000円
Ⓘ4-06-267858-6　Ⓝ913.6

『松谷みよ子の本 6 絵本』

松谷みよ子著

目次 ちいさいモモちゃん あめこんこん，きつねのよめいり，つとむくんのかばみがき，てんぐとアジャ，ふうちゃんとチャチャ，ばけくらべ，いないいない ばあ，おふろで ちゃぷ ちゃぷ，あそびましょ，さよなら さんかく またきて しかく，ぼうさまになったからす，まちんと，わたしのいもうと，ねないこだあれ、ぼうさまの木，にんじんさんがあかいわけ，おんぶおばけ，おとうふさんとこんにゃくさん，1まいのクリスマス・カード，鯉にょうぼう，海にしずんだ鬼，ゆきおんな，さるかに，とうきちとむじな，いたちのこもりうた，山おとこのてぶくろ，こめんぶくあわんぶく，ももたろう

内容 幼い子への限りない愛、平和を願う熱き思い、民話から伝わる息づかい…、松谷みよ子の広範な絵本世界をカラーで再現。

講談社 1995.8 366p 21cm 6000円
Ⓘ4-06-251206-8

『松谷みよ子のむかしむかし 3 《雪女・ばけくらべ・たべられた山んばほか》』

松谷みよ子著

目次 小判の虫ぼし，花さかじい，かくれ里，こじきのくれた手ぬぐい，いっすんぼうし，かっぱのおたから，雪女，とうふのびょうき，ばけくらべ，山のばさまの里がえり，天からおちた源五郎，からすとたにし，はなたれこぞうさま，したきりすずめ，たべられた山んば，鬼のかたなかじ，玉のみのひめ

講談社 1973.12 166p 23cm （日本の昔話 3） 2000円
Ⓘ4-06-124573-2 Ⓝ913.6

〈花いっぱいになあれ〉

（学図）「みんなと学ぶ 小学校こくご 二年上」 2011 （東書）「あたらしいこくご 一下」 2011, 2015

『花いっぱいになあれ』

松谷みよ子作，西山三郎絵

内容 子ぎつねのコンは、とってもいい夢を見ていました。なんだかよくおぼえていないけれど、おいしいものをたくさん食べたようないい気持ち。そうしたら目の前に、ぽっかりまっかな花がゆれていました。表題作ほか5編収録。

岩崎書店 1995.4 77p 22×19cm（日本の名作童話 13）1500円
Ⓘ4-265-03763-1 Ⓝ913.6

『花いっぱいになぁれ』

松谷みよ子作，橋本淳子絵

目次 きつねとたんぽぽ，子ぎつねコン，花いっぱいになぁれ，コンのしっぱい，テレビにでたコン，きつねのこのひろったていきけん，ジャムねこさん，オバケとモモちゃん，おんにょろにょろ，モモちゃんの魔法，ソースなんてこわくない，モモちゃんちは水びたし，夜ですよう，小さなもぐら，まねっこぞうさん，ぽんぽのいたいくまさん

内容 子ぎつねコンが見つけた花は、とてもふしぎな赤い花でした。…表題作、「花いっぱいになぁれ」ほか、きつねの登場するお話と、ちいさいモモちゃんがかつやくするかわいいお話を、いっぱいあつめました。

大日本図書 1990.11 212p 18cm （てのり文庫 B057） 470円
Ⓘ4-477-00022-7 Ⓝ913.6

『松谷みよ子おはなし集 2』

松谷みよ子作，石井勉絵

目次 どうしてそういう名前なの，ジャムねこさん，コンのしっぽい，花いっぱいになぁれ，おなかのすいたコン，お日さまはいつでも，りすのわすれもの，ふくろうのエレベーター，うさぎのざんねん賞，高原にとまった汽車，うさぎさんの冬ふく

内容 「ようし、なにかおいしいもの、さがしにいこうっと。」そういって、コンはトコトコ、トコトコ、遊びにでかけました（「おなかのすいたコン」より）。動物を主人公に、子どもの世界をえがく作品集。

ポプラ社　2010.3　125p　21cm　1200円
Ⓘ978-4-591-11637-1　Ⓝ913.6

『光村ライブラリー 第1巻 《花いっぱいになあれ ほか》』

樺島忠夫，宮地裕，渡辺実監修，くどうなおこ，ひらつかたけじ，まつたにみよこ，ちばしょうぞう，いまえよしとも作，西巻茅子，かすや昌宏，小野千世，安野光雅，田島征三絵

目次 だれにあえるかな（くどうなおこ），春の子もり歌（ひらつかたけじ），花いっぱいになあれ（まつたにみよこ），チックとタック（ちばしょうぞう），力太郎（いまえよしとも）

光村図書出版　2005.6　76p　21cm　1000円
Ⓘ4-89528-099-3　Ⓝ908

『火ようびのどうわ』

日本児童文学者協会編

目次 ゆめのきしゃ（きどのりこ），花いっぱいになぁれ（松谷みよ子），リスとカシのみ（坪田譲治），かもとりごんべえ（岩崎京子），ピューンの花（平塚武二），おかあさんの手（大石真）

内容 言葉の力、自由な読書力がつくように、分析でなくお話として楽しめるように、国語教科書に載った童話を集めたシリーズの2冊目。松谷みよ子「花いっぱいになあれ」、岩崎京子「かもとりごんべえ」など6編を収録。

国土社　1998.3　90p　21cm　（よんでみようよ教科書のどうわ1しゅうかん 2）
1200円
Ⓘ4-337-09602-7　Ⓝ913

『本は友だち 1 年生』

日本児童文学者協会編

目次 花いっぱいになぁれ（松谷みよ子），雨くん（村山籌子），のんびり森

のぞうさん（川北亮司），ぱちんぱちんきらり（矢崎節夫），コンクリートのくつあと（牧ひでを），たくやくん（森山京），詩・ジュース（高木あきこ），詩・はしるのだいすき（まどみちお），おふとんになったきのこ（工藤直子），おやおやや（林原玉枝），ノリオのはひふへほ（たかどのほうこ），エッセイ・一年生のころ「○○○じけん」に気をつけて（薫くみこ）

内容 この本には、「国語」の教科書でおなじみの作品をはじめ、現代の子どもの文学の世界を代表する作家たちの作品が集められています。

偕成社　2005.3　139p　21cm　（学年別・名作ライブラリー 1）　1200円
Ⓘ4-03-924010-3　Ⓝ913.68

〈りすのわすれもの〉

教出「ひろがることば しょうがくこくご 一下」 2011, 2015

『松谷みよ子おはなし集 2』

松谷みよ子作，石井勉絵

目次 どうしてそういう名前なの，ジャムねこさん，コンのしっぱい，花いっぱいになぁれ，おなかのすいたコン，お日さまはいつでも，りすのわすれもの，ふくろうのエレベーター，うさぎのざんねん賞，高原にとまった汽車，うさぎさんの冬ふく

内容「ようし、なにかおいしいもの、さがしにいこうっと。」そういって、コンはトコトコ、トコトコ、遊びにでかけました（「おなかのすいたコン」より）。動物を主人公に、子どもの世界をえがく作品集。

ポプラ社　2010.3　125p　21cm　1200円
Ⓘ978-4-591-11637-1　Ⓝ913.6

『花いっぱいになあれ』

松谷みよ子作，西山三郎絵

目次 花いっぱいになあれ，りすのわすれもの，やまんばのにしき，大工とおに，茂吉のネコ，赤神と黒神

内容 子ぎつねのコンは、とってもいい夢を見ていました。なんだかよくおぼえていないけれど、おいしいものをたくさん食べたようないい気持ち。そうしたら目の前に、ぽっかりまっかな花がゆれていました。

岩崎書店　1995.4　77p　22×19cm
（日本の名作童話 13）　1500円
Ⓘ4-265-03763-1　Ⓝ913.68

まど・みちお

〈いちばんぼし〉

（学図）「みんなと学ぶ 小学校こくご 二年下」 2015, 2020 （教出）「ひろがる言葉 小学国語 三下」 2015, 2020, 2024

『いちばんぼし』

まどみちお詩，スズキコージ絵

童心社 1990.8 39p 19cm （うたうたうたう） 980円
Ⓘ4-494-00273-9

『だいすきまどさん』

まどみちお作，篠崎三朗絵，伊藤英治編

目次 1 宇宙のこだま（てつぼう，いちばんぼし，どうしていつも ほか），2 いのちのうた（アリ，じめん，人間の目 ほか），3 もののかずかず（たまごがさきか，いす，かぞえたくなる ほか）

内容 『まど・みちお全詩集』から生まれた新しい詩集。

理論社 2004.6 205p 21cm （まど・みちお詩集 2） 1500円
Ⓘ4-652-03522-5 Ⓝ911.56

『宇宙はよぶ』

まどみちお著，長新太絵

目次 とおいところ，いちばんぼし，一ばん星，ほし，天，こんなにたしかに，今ここで見ることは，いま!，どうしてあんなに，石ころ，大きな岩，空，雲〔ほか〕

理論社 1997.4 91p 19cm （まどさんの詩の本） 1300円
Ⓘ4-652-03514-4 Ⓝ911.56

『まめつぶうた―まどみちお少年詩集』

まどみちお著

目次 とおいところ―生きもののうた（やさしいけしき，とおいところ ほか），もうひとつの目―にんげんのうた（もうひとつの目，ピラカンサの実 ほか），さんぱつはきらい―けしつぶうた（ゾウ，ケムシ ほか），うたをうたうとき―ぼくとわたしのうた（うたをうたうとき，朝がくると ほか），うちゅうがみている―いろいろのうた（いちばんぼし，リンゴ ほか）

理論社 1981.10 157p 23cm （現代少年詩プレゼント） 1748円

Ⓘ4-652-03404-0　Ⓝ911

『まど・みちお詩の本―まどさん 100 歳 100 詩集』

まどみちお著，伊藤英治編

目次 1 やさしい景色，2 うたううた，3 宇宙のこだま，4 もののかずかず，5 ことばのさんぽ，6 いのちのうた

内容 NHK スペシャル「ふしぎがり～まど・みちお百歳の詩～」全国放送で日本中に感動が広がっています。「ぞうさん」「やぎさんゆうびん」「1 ねんせいになったら」から宇宙・いのちの詩まで、『まど・みちお全詩集』1200 編から生まれた珠玉の 175 編。

理論社　2010.3　147p　19cm　1000 円
Ⓘ978-4-652-03523-8　Ⓝ911.56

『まど・みちお詩集 ぞうさん』

まどみちお著

目次 ぞうさん，くまさん，うさぎ，いいなぼく，みちばたのくさ，いっぱいやさいさん，どうしていつも，イヌはイヌだ，木，ナメクジ〔ほか〕

内容 詩は生涯の友だち、詩はきみを裏切らない。ポケットに一冊の詩集。

童話屋　2019.1　157p　15cm　1500 円
Ⓘ978-4-88747-136-8　Ⓝ911.56

『まど・みちお全詩集　新訂版』

まどみちお著，伊藤英治編

目次 第 1 部 詩（一九三四～一九四四，一九四五～一九五九，一九六〇～一九六九，一九七〇～一九七九，一九八〇～一九八九），第 2 部 散文詩（さようなら，煎餅と子供，魚を食べる，黒板，少年の日 ほか）

内容 少年詩、童謡、散文詩など、まど・みちおの全詩を収録。国際アンデルセン賞、芸術選奨文部大臣賞、産経児童出版文化賞大賞、路傍の石文学賞特別賞受賞。

理論社　2001.5　735，65p　21cm　5500 円
Ⓘ4-652-04231-0　Ⓝ911.56

〈おさるがふねをかきました〉

（学図）「みんなとまなぶ しょうがっこうこくご 一ねん上」 2015，2020
（光村）「こくご かざぐるま 一上」 2011

『おさるがふねをかきました』

まどみちお著，東貞美画

内容 「きりん」「つけもののおもし」等多くの作品の中から、子どもたちに愛唱されている詩を選び、詩情豊かな絵で構成した絵本。

国土社　1982.1　23p　26cm　(しのえほん 1)　1300円
Ⓘ4-337-00301-0　Ⓝ911.56

『まど・みちお全詩集　新訂版』

まどみちお著，伊藤英治編

目次 第1部 詩（一九三四〜一九四四, 一九四五〜一九五九, 一九六〇〜一九六九, 一九七〇〜一九七九, 一九八〇〜一九八九），第2部 散文詩（さようなら，煎餅と子供，魚を食べる，黒板，少年の日 ほか）

内容 少年詩、童謡、散文詩など、まど・みちおの全詩を収録。国際アンデルセン賞、芸術選奨文部大臣賞、産経児童出版文化賞大賞、路傍の石文学賞特別賞受賞。

理論社　2001.5　735，65p　21cm　5500円
Ⓘ4-652-04231-0　Ⓝ911.56

『まど・みちお詩の本―まどさん100歳100詩集』

まどみちお著，伊藤英治編

目次 1 やさしい景色，2 うたううた，3 宇宙のこだま，4 もののかずかず，5 ことばのさんぽ，6 いのちのうた

内容 NHKスペシャル「ふしぎがり〜まど・みちお百歳の詩〜」全国放送で日本中に感動が広がっています。「ぞうさん」「やぎさんゆうびん」「1ねんせいになったら」から宇宙・いのちの詩まで、『まど・みちお全詩集』1200編から生まれた珠玉の175編。

理論社　2010.3　147p　19cm　1000円
Ⓘ978-4-652-03523-8　Ⓝ911.56

『きりんきりりん―動物 1』

新川和江編，安田卓矢絵

目次 ねこじたの犬（村田さち子），いぬのおまわりさん（さとうよしみ），黒いこいぬ（谷川俊太郎），おさるがふねをかきました（まど・みちお），ゆかいな木きん（小林純一），シャベルでホイ（サトウハチロー），小ぎつね（勝承夫），まいごのカンガルー（柴田陽平），雨ふりくまの子（鶴見正夫），ぱんださん（立石巌），キリン（まど･みちお），ねこぜんまい（武鹿悦子），ねこふんじゃった（阪田寛夫），ゴーゴーゴリラ（摩耶翠子），うし（吉田定一），うしのそば（まど・

みちお)，まきばの子牛（小林純一)，ドナドナ（安井かずみ)，動物たちのおそろしいゆめの中に（川崎洋）

太平出版社　1987.10　66p　21cm　（小学生・詩のくにへ 8）　1600円
Ⓝ911.568

『みみずのたいそう』

市河紀子編，西巻茅子絵

目次 あさのおひさま，森の夜明け，ろんぐらんぐ，くまさん，へびのあかちゃん，みみずのたいそう，なのはなとちょうちょう，たんたんたんぽぽ，たんぽぽさん，うさぎ〔ほか〕

内容 幼いときから、美しく豊かな日本のことばに親しんでほしいと願って編んだ、子どもたちがはじめて出会うのにぴったりの詩のアンソロジー。神沢利子、岸田衿子、工藤直子、阪田寛夫、谷川俊太郎、まど・みちお、与田準一作の詩、四十六編を収録しています。

のら書店　2006.11　125p　19cm　（詩はともだち）　1200円
Ⓘ4-931129-24-2　Ⓝ911.568

〈くまさん〉

（三省堂）「小学生のこくご 二年」　2011, 2015

『くまさん』

まどみちお著

内容 この詩集「くまさん」は、まど・みちおさんの詩のなかから、52編を選んでまとめた1冊です。

童話屋　1989.10　147p　15cm　979円
Ⓘ4-924684-51-1　Ⓝ911.56

『くまさん』

まどみちお詩，ましませつこ絵

内容 はるがきて めがさめて くまさん ぼんやり かんがえた さいているのは たんぽぽだが ええと ぼくは だれだっけ だれだっけ。自然に口ずさみたくなるまどさんのやさしい詩にましまさんが心を込めて絵を描きました。草木が芽吹く春のよろこび、こぐまの生きているうれしさが伝わってきます。

こぐま社　2017.2　1冊　20×22cm　900円
Ⓘ978-4-7721-0235-3　Ⓝ726.6

『まど・みちお詩集 ぞうさん』

まどみちお著

目次 ぞうさん，くまさん，うさぎ，いいなぼく，みちばたのくさ，いっぱいやさいさん，どうしていつも，イヌはイヌだ，木，ナメクジ〔ほか〕

内容 詩は生涯の友だち、詩はきみを裏切らない。ポケットに一冊の詩集。

童話屋　2019.1　157p　15cm　1500円
Ⓘ978-4-88747-136-8　Ⓝ911.56

『まど・みちお詩集 ぞうさん・くまさん』

まどみちお著，仁科幸子画，北川幸比古編

内容「ぞうさん」で親しまれている、まど・みちお詩の宇宙。「ぞうさん」他、ことばあそびの作品、少年詩、メモあそびなど6部構成。まどみちおのみずみずしい詩情と美しいことばがあふれる作品集。

岩崎書店　1995.10　102p　20×19cm
（美しい日本の詩歌 5）　1500円
Ⓘ4-265-04045-4　Ⓝ911.56

『まど・みちお詩の本―まどさん100歳100詩集』

まどみちお著，伊藤英治編

目次 1 やさしい景色，2 うたううた，3 宇宙のこだま，4 もののかずかず，5 ことばのさんぽ，6 いのちのうた

内容 NHKスペシャル「ふしぎがり～まど・みちお百歳の詩～」全国放送で日本中に感動が広がっています。「ぞうさん」「やぎさんゆうびん」「1ねんせいになったら」から宇宙・いのちの詩まで、『まど・みちお全詩集』1200編から生まれた珠玉の175編。

理論社　2010.3　147p　19cm　1000円
Ⓘ978-4-652-03523-8　Ⓝ911.56

『まど・みちお全詩集　新訂版』

まどみちお著，伊藤英治編

目次 第1部 詩（一九三四～一九四四，一九四五～一九五九，一九六〇～一九六九，一九七〇～一九七九，一九八〇～一九八九），第2部 散文詩（さようなら，煎餅と子供，魚を食べる，黒板，少年の日 ほか）

内容 少年詩、童謡、散文詩など、まど・みちおの全詩を収録。国際アンデルセン賞、芸術選奨文部大臣賞、産経児童出版文化賞大賞、路傍の石文学賞特別賞受賞。

理論社　2001.5　735, 65p　21cm　5500円
Ⓘ4-652-04231-0　Ⓝ911.56

〈ちょうちょうひらひら〉

(三省堂)「しょうがくせいのこくご 一年上」 2011, 2015

『ちょうちょうひらひら』

まどみちお文, にしまきかやこ絵

内容 春風にのって、ちょうちょうがひらひら。うさちゃんにとまって、うさちゃんがうふふ…。ちょうちょうひらひら、ぞうさんにもとまるかな？もしもちょうちょうがとまってくれたら…とってもうれしいけど、でもくすぐったいかなぁ？子どもたちのくすくす笑いが聞こえてくるような絵本です。

こぐま社　2008.2　1冊　20×21cm　900円
Ⓘ978-4-7721-0190-5　Ⓝ726.6

〈はしる しるしる〉

(光村)「国語 あおぞら 三下」 2011

『続 まど・みちお全詩集』

まど・みちお著, 伊藤英治, 市河紀子編

目次 第1部 詩（一九九〇～一九九九, 二〇〇〇～二〇〇九）, 第2部 補遺（一九二九～一九四四, 一九四五～一九五九, 一九六〇～一九六九, 一九七〇～一九七九, 一九八〇～一九八九, 散文）, 付録 資料

内容 『全詩集』の「続き」です。100歳まで、詩を書き続けたまどさん。82歳で『全詩集』出版後の詩500編以上！これで本当にまどさんの詩の全貌が明らかに。

理論社　2015.9　523, 52p　21×17cm　6500円
Ⓘ978-4-652-20117-6　Ⓝ911.56

〈はながさいた〉

(光村)「こくご たんぽぽ 二上」 2020, 2024

『まど・みちお全詩集　新訂版』

まどみちお著, 伊藤英治編

目次 第1部 詩（一九三四〜一九四四, 一九四五〜一九五九, 一九六〇〜一九六九, 一九七〇〜一九七九, 一九八〇〜一九八九), 第2部 散文詩（さようなら, 煎餅と子供, 魚を食べる, 黒板, 少年の日 ほか）

内容 少年詩、童謡、散文詩など、まど・みちおの全詩を収録。国際アンデルセン賞、芸術選奨文部大臣賞、産経児童出版文化賞大賞、路傍の石文学賞特別賞受賞。

理論社　2001.5　735, 65p　21cm　5500円
Ⓘ4-652-04231-0　Ⓝ911.56

『まど・みちお 全詩集』

まど・みちお著, 伊藤英治編

内容 ぞうさんがいて、まどさんがいて、詩1200。まどさんの60年全1冊。

理論社　1992.9　718, 65p　21cm　4800円
Ⓘ4-652-04213-2　Ⓝ911.56

〈ぼくがここに〉

(東書)「新しい国語 三下」 2015, 2020, 2024

『ぼくがここに』

まど・みちお著

内容 河合隼雄が絶賛した表題の「ぼくがここに」をはじめとした、詩人まど・みちおの詩集。

童話屋　1993.1　148p　16cm　1185円
Ⓘ4-924684-70-8　Ⓝ911.56

『ぞうさん―まど・みちお詩集』

まど・みちお詩

目次 ぞうさん, くまさん, うさぎ, いいな ぼく, みちばたの くさ, いっぱい やさいさん, どうして いつも, イヌはイヌだ, 木, ナメクジ, つけもののおもし, チョウチョウ, キリン, なのはなと ちょうちょう, さかな, キリン, ミミズ, へんてこりんの うた, いちばんぼし, ことり, まきば, ブタ, アリ, アリ, にじ, チョウチョウ, トンボと そら, ひよこが うまれた, いきもののくに, はるのさんぽ, たんたん たんぽぽ, 地球の用事, おんなじ やさい, 「あたし」,

ふたあつ，おかあさん，にじ，かき，さくら，つきの ひかり，落葉，かがみ，せんねん まんねん，ケムシ -（「けしつぶうた」より），ニンジン -（「メモあそび」より），ゴボウ -（「メモあそび」より），もやし -（「けしつぶうた」より），ちゃわん -（「メモあそび」より），ゾウ 2-（「けしつぶうた」より），するめ，ナマコ，やぎさん ゆうびん，ふしぎな ポケット，おならは えらい，かみなりさんは，カのオナラ，はなくそ ぼうや，あかちゃん，アリくん，石ころ，リンゴ，ぼくが ここに，編者あとがき

内容 ぞうさん ぞうさん おはなが ながいのね そうよ かあさんも ながいのよ（「ぞうさん」より）生涯にわたり子どもたちの生きる力になる詩を書きつづけた、まど・みちおのポケット版詩集。

童話屋 2019.1 157p 16cm 1500円
Ⓘ978-4-88747-136-8 Ⓝ911.56

『まど・みちお』

萩原昌好編，三浦太郎画

目次 朝がくると，うたをうたうとき，せんねんまんねん，はなくそぼうや，リンゴ，木，けしゴム，ぞうきん，ミミズ，ブドウのつゆ〔ほか〕

内容 100歳を超えた現在も著作刊行が続く詩人まど・みちお。ちいさきものに愛情をそそぎ、はなくそから宇宙まで、やさしい言葉で、ユーモラスに本質を語るその詩の世界を味わってみましょう。

あすなろ書房 2013.11 103p 20×16cm （日本語を味わう名詩入門 20） 1500円
Ⓘ978-4-7515-2660-6 Ⓝ911.568

『まど・みちお詩集 ぞうさん』

まど・みちお著

目次 ぞうさん，くまさん，うさぎ，いいなぼく，みちばたのくさ，いっぱいやさいさん，どうしていつも，イヌはイヌだ，木，ナメクジ〔ほか〕

内容 詩は生涯の友だち、詩はきみを裏切らない。ポケットに一冊の詩集。

童話屋 2019.1 157p 15cm 1500円
Ⓘ978-4-88747-136-8 Ⓝ911.56

『続 まど・みちお全詩集』

まど・みちお著，伊藤英治，市河紀子編

目次 第1部 詩（一九九〇〜一九九九，二〇〇〇〜二〇〇九），第2部 補遺（一九二九〜一九四四，一九四五〜一九五九，一九六〇〜一九六九，一九七〇〜一九七九，一九八〇〜一九八九，散文），付録 資料

内容 『全詩集』の「続き」です。100歳まで、詩を書き続けたまどさん。82歳で『全詩集』出版後の詩500編以上！これで本当にまどさんの詩の全貌が明らかに。

理論社　2015.9　523，52p　21×17cm　6500円
Ⓘ978-4-652-20117-6　Ⓝ911.56

まはら 三桃　まはら みと

〈お父さんの手〉

（学図）「みんなと学ぶ 小学校こくご 二年下」 2015

『おとうさんの手』
まはら三桃作，長谷川義史絵

内容 かおりのおとうさんは、目が見えません。でも、おとうさんは、においや音から、なんでもわかってしまいます。目の見えないおとうさんが見せてくれる、あざやかな景色と、家族のたしかなつながり。小学一年生から。

講談社　2011.5　74p　21cm　（どうわがいっぱい）　1100円
Ⓘ978-4-06-198180-5　Ⓝ913.6

三木 卓　みき たく

〈「えいっ」〉

（教出）「ひろがることば 小学国語 二上」 2015, 2020

『「えいっ」　復刊』
三木卓作，高畠純絵

内容 「えいっ」それは、まほうのことば。とうさんがとなえるとステキなことがおこります。「ぼくもやってみたい！」くまの子は、かんがえました…

理論社　2015.5　1冊　24×21cm　1200円
Ⓘ978-4-652-20104-6　Ⓝ913.6

『とうさんのまほう「えいっ」』

三木卓作，新野めぐみ絵

内容 「えいっ。」とうさんのかけ声は、まほうの声だ。しんごうの色はかえちゃうし空に星もよべるんだ。とうさんって、すごいんだね。くまのこととうさんの触れ合いを描いた、かわいいおはなし。

講談社　1996.4　60p　20cm　1200円
Ⓘ4-06-208179-2　Ⓝ913

『パジャマくん』

三木卓作，大作俊子絵

目次 パジャマくん，七まいの葉，とうさんのまほう「えいっ」，はりがねネコ

内容 手掛けてみると、童話とはとてもむずかしいものでした。苦労して、まず書き上げたのが「七まいの葉」という童話集のうちの「ふみこのおともだち　はる　なつ　あき　ふゆ」でした。今読みかえすと、ぼくにはその苦労のあとばかりがみえます。そして自分の童話というものを手探りでさぐっている、自分の姿も見えます。そしてできあがったのが、「七まいの葉」でした。作品が七編はいっているから、こういう題にしたのです。「とうさんのまほう　えいっ」は、「いちごえほん」に書かれたもので、素材はそのころの娘との生活のなかから出てきたものです。このくまの父子のおはなしのシリーズば、これからも書いていきたいと思っています。

大日本図書　2000.2　204p　22×16cm　（三木卓童話作品集 1）　2300円
Ⓘ4-477-01083-4　Ⓝ913.6

『本は友だち２年生』

日本児童文学者協会編

目次 「えいっ」（三木卓），ろくべえまってろよ（灰谷健次郎），海をあげるよ（山下明生），きばをなくすと（小沢正），詩・おなかのへるうた（阪田寛夫），詩・おおきくなったら（菅原優子），ふるさとの空に帰った馬（小暮正夫），わすれたわすれんぼ（寺村輝夫），あめだま（新美南吉），とっくたっくとっくたっく（神沢利子），エッセイ・二年生のころ　夜店だいすき（越水利江子）

内容 この本には、「国語」の教科書でおなじみの作品をはじめ、現代の子どもの文学の世界を代表する作家たちの作品が集められています。

偕成社　2005.3　163p　21cm　（学年別・名作ライブラリー 2）　1200円
Ⓘ4-03-924020-0　Ⓝ913.68

〈おちば〉

（東書）「新しい国語 二下」 2024

『ふたりはいつも』

アーノルド・ローベル著，三木卓訳

内容 がまくんとかえるくんのユーモラスな冒険物語が5編。「そりすべり」「アイスクリーム」「クリスマス・イブ」など春夏秋冬、一年間のふたりの生活が盛りこまれています。

文化出版局 1977.5 64p 22cm （ミセスこどもの本） 854円

Ⓘ4-579-40080-1 Ⓝ933.7

※『ふたりはいつも』シリーズは p200 も参照してください

〈お手がみ〉

（教出）「ひろがることば しょうがくこくご 一下」 2011, 2015, 2020, 2024

〈お手紙〉

（学図）「みんなと学ぶ 小学校こくご 二年下」 2011, 2015, 2020 （光村）「こくご 赤とんぼ 二下」 2011, 2015, 2020, 2024 （三省堂）「小学生のこくご 二年」 2011, 2015 （東書）「新しい国語 二上」 2011, 2015 「新しい国語 二下」 2020, 2024

『ふたりはともだち』

アーノルド・ローベル著，三木卓訳

目次 はるがきた，おはなし，なくしたボタン，すいえい，おてがみ

内容 仲よしのがまくんとかえるくんを主人公にしたユーモラスな友情物語を5編収録。読みきかせにもふさわしいローベルの傑作。

文化出版局 1972.11 64p 22cm （ミセスこどもの本） 854円

Ⓘ4-579-40247-2 Ⓝ933.7

※『ふたりはともだち』シリーズは p200 も参照してください

〈のらねこ〉

(教出)「ひろがる言葉 小学国語 三下」 2011 「ひろがる言葉 小学国語 三上」 2015, 2020

『ぽたぽた』

三木卓作, 杉浦範茂絵

目次 ジュース, ビー玉, うんこ, 画用紙, ぽたぽた, 写真, からす, もけいひこうき, あめ, せっけん, びょうき, とけい, たんじょうび, かげぼうし, のらねこ, いぬ, うらおもて, てぶくろ

内容 みぢかなものや生きものと豊かに交流するこどもの時間を描く名作童話集。第22回野間児童文芸賞受賞作。

理論社 2013.2 143p 21×16cm (名作童話集) 1500円
Ⓘ978-4-652-20003-2 Ⓝ913.6

『国語教科書にでてくる物語 3年生・4年生』

斎藤孝著

目次 3年生 (いろはにほへと (今江祥智), のらねこ (三木卓), つりばしわたれ (長崎源之助), ちいちゃんのかげおくり (あまんきみこ), きみみずきん (木下順二), ワニのおじいさんのたからもの (川崎洋), さんねん峠 (李錦玉), サーカスのライオン (川村たかし), モチモチの木 (斎藤隆介), 手ぶくろを買いに (新美南吉)), 4年生 (やいトカゲ (舟崎靖子), 白いぼうし (あまんきみこ), 木竜うるし (木下順二), こわれた1000の楽器 (野呂昶), 一つの花 (今西祐行), りんご畑の九月 (後藤竜二), ごんぎつね (新美南吉), せかいいちうつくしいぼくの村 (小林豊), 寿限無 (興津要), 初雪のふる日 (安房直子))

ポプラ社 2014.4 294p 18cm (ポプラポケット文庫) 700円
Ⓘ978-4-591-13917-2 Ⓝ913.68

『齋藤孝の親子で読む国語教科書 3年生』

齋藤孝著

目次 いろはにほへと (今江祥智), のらねこ (三木卓), つりばしわたれ (長崎源之助), ちいちゃんのかげおくり (あまんきみこ), ききみみずきん (木下順二), ワニのおじいさんのたからもの (川崎洋), さんねん峠 (李錦玉), サーカスのライオン (川村たかし), モチモチの木 (斎藤隆介), 手ぶくろを買いに (新美南吉)

ポプラ社 2011.3 142p 21cm 1000円
Ⓘ978-4-591-12287-7 Ⓝ817.5

みずかみ かずよ

〈金のストロー〉

(東書)「新しい国語 二下」 2011

『きんのストロー』

みずかみかずよ詩，長野ヒデ子絵

内容 「ふきのとう」や「きんのストロー」など、自然をみずみずしくうたった詩を、あたたかく親しみある絵と共に味わう、詩の絵本。

国土社 1988.9 24p 26×21cm （しのえほん 11） 980円

Ⓘ4-337-00311-8 Ⓝ911.56

『みずかみかずよ詩集 ねぎぼうず』

みずかみかずよ著

目次 1 夕立（金のストロー，あかいカーテン ほか），2 おじいさんの畑（まどをあけといて，まるぼうず ほか），3 うまれたよ（うまれたよ，ほたる ほか），4 ふきのとう（ねぎぼうず，ふきのとう ほか），5 よろこび（夾竹桃―若松の脇田海岸，ポプラの海で ほか）

内容 「ねぎぼうず」「金のストロー」「こおろぎでんわ」など代表作四十二編を収録。

岩崎書店 2010.3 94p 18×19cm （豊かなことば現代日本の詩 9） 1500円

Ⓘ978-4-265-04069-8 Ⓝ911.568

『いのち―みずかみかずよ全詩集』

みずかみかずよ著，水上平吉編

内容 心があったかくなる生命（いのち）への讃歌。みずみずしいこどもの魂をもって、生きとし生けるものへの愛と共感をうたいつづけた詩人の全詩業。

石風社 1995.7 503，7p 21cm 3605円

Ⓝ911.56

『こえがする』

みずかみかずよ著

目次 めざめ，よろこび，いのち，ふるさと，ちから，あした

理論社 1983.3 124p 21cm （詩の散歩道） 1650円

Ⓘ4-652-03809-7 Ⓝ911

『みどりのしずく―自然』

新川和江編，瀬戸好子絵

目次 雲（山村暮鳥），金のストロー（みずかみかずよ），水たまり（武鹿悦子），石ころ（まど・みちお），かいだん（渡辺美知子），すいれんのはっぱ（浦かずお），びわ（まど・みちお），かぼちゃのつるが（原田直友），雑草のうた（鶴岡千代子），ことりのひな（北原白秋），土（三好達治），きいろいちょうちょう（こわせたまみ），すいっちょ（鈴木敏史），川（谷川俊太郎），天（山之口獏），富士（草野心平），海（川崎洋），なみは手かな（こわせたまみ），石（草野心平），地球は（工藤直子），どうしていつも（まど・みちお）

太平出版社　1987.7　66p　21cm　（小学生・詩のくにへ 5）　1600 円
Ⓝ911.568

水沢 謙一　みずさわ けんいち

〈三まいのおふだ〉

(学図)「みんなと学ぶ 小学校国語 三年上」 2015

『さんまいのおふだ―新潟の昔話』

水沢謙一再話，梶山俊夫画

福音館書店　1978.1（初版 1985.2）31p　27cm　（こどものとも傑作集 69）　800 円
Ⓘ4-8340-0121-0 Ⓝ913.6

水谷 章三　みずたに しょうぞう

〈天にのぼったおけやさん〉

(教出)「ひろがることば しょうがくこくご 一下」 2011, 2015, 2020, 2024

『こころにひびくめいさくよみもの 1 ねん―よんで、きいて、こえにだそう』

府川源一郎，佐藤宗子編

目次 花いっぱいになあれ（松谷みよ子），おじさんのかさ（佐野洋子），はなび（森山京），雨つぶ（あべ弘士），天に上ったおけやさん（水谷章三），おもしろいことば，きりんはゆらゆら（武鹿悦子），ひらいたひらいた

内容 小学校国語教科書に掲載された名作（物語・説明文・詩）を学年別に収録。発達段階に応じた教科書表記を採用。難意語には注を記載。発展学習にも役立つよう、交ぜ書きから読み仮名付きの漢字へ適宜変更。当時の教科書に使用された挿絵を掲載。俳優・声優による格調高い朗読をCDに収め各巻に添付。

教育出版　2004.3　75p　21cm　2000円
Ⓘ4-316-80085-X　Ⓝ918.6

水谷 まさる　みずたに まさる

〈せかいじゅうの海が マザーグースのうた〉

（教出）「ひろがることば 小学国語 二下」 2015, 2020, 2024

『ぎんいろの空―空想・おとぎ話』

新川和江編，降矢奈々絵

目次 シャボン玉（ジャン・コクトー），なみとかいがら（まど・みちお），海水浴（堀口大学），白い馬（高田敏子），じっと見ていると（高田敏子），真昼（木村信子），ことり（まど・みちお），ちょうちょとハンカチ（宮沢章二），だれかが小さなベルをおす（やなせたかし），おもちゃのチャチャチャ（野坂昭如），なわ一本（高木あきこ），南の島のハメハメハ大王（伊藤アキラ），とんでったバナナ（片岡輝），チム・チム・チェリー（日本語詞・あらかわひろし），星の歌（片岡輝），あり（ロベール＝デスノス），お化けなんてないさ（槇みのり），マザー・グース せかいじゅうの海が（水谷まさる 訳）

内容 なみとかいがら（まど・みちお），海水浴（堀口大学），白い馬（高田敏子），じっと見ていると（高田敏子），真昼（木村信子），ことり（まど・みちお），ちょうちょとハンカチ（宮沢章二），なわ一本（高木あきこ），星の歌（片岡輝），あり（ロベール＝デスノス），お化けなんてないさ（槇みのり），マザー・グース せかいじゅうの海が（水谷まさる訳）他

太平出版社　1987.7　66p　21cm　（小学生・詩のくにへ 2）　1600円
Ⓝ911.568

三越 左千夫　みつこし さちお

〈いのち〉

(三省堂)「小学生の国語 三年」 2011, 2015

『かあさんかあさん』

三越左千夫詩，石田武雄絵

目次 のはらのたんぽぽ，えんそく，シャボンだま，こいのぼり，かあさんかあさん，あひるのこども―五月の歌，つばめのかあさんいそがしい，にじのはし，かざぐるま，ねこのかいもの〔ほか〕

内容 かあさん かあさん おつむをかしてくださいね たんぽぽさしてあげましょう―。表題作ほか、のはらのたんぽぽ、えんそくなど、三越左千夫の童謡詩を収録。童謡詩を作家別に集大成したシリーズ。再刊。

国土社　2003.1　77p　25×22cm　(現代日本童謡詩全集 11)　1600円
Ⓘ4-337-24761-0　Ⓝ911.58

光吉 夏弥　みつよし なつや

〈とらとおじいさん〉

(光村)「国語 あおぞら 三下」 2011

『とらとおじいさん　新装版』

アルビン・トレセルト文，光吉夏弥訳，アルバート・アキノ絵

内容 とらは、おりからだしてたすけてくれたおじいさんをたべようとします…。とらさん！そのまえに、だれかにちょっときいてみたいんだ。おまえさんがわしをたべるというのがむちゃでないかどうか、きいてみたいんだよ。小学校低学年向。

大日本図書　2011.2　56p　21cm　(ゆかいなゆかいなおはなし)　1200円
Ⓘ978-4-477-02379-3　Ⓝ929.853

『とらとおじいさん―ちいさいげき』

アルビン・トレセルトぶん，光吉夏弥やく，アルバート・アキノえ

大日本図書　1983.2　56p　22cm　(ゆかいなゆかいなおはなし)　800円
Ⓘ4-477-16777-6　Ⓝ929.853

宮中 雲子　　みやなか くもこ

〈くもはがようし〉

（東書）「あたらしいこくご 一下」 2011

『どんな音がするでしょか―宮中雲子詩集』

宮中雲子著，西真里子絵

内容 きのう おととい さきおととい あつめてお手玉つくったら どんな音がするでしょか「サトウハチロー賞」受賞の著者の童謡詩集。身近なことばを重ねながら、時折のぞかせる子どもの本音をつつんでくれる

教育出版センター　1996.7　93p　21cm　（ジュニア・ポエム双書）　1200円
Ⓘ4-7632-4338-1　Ⓝ911.56

宮西 達也　　みやにし たつや

〈おまえうまそうだな〉

（学図）「みんなと学ぶ 小学校こくご 二年上」 2015

『おまえうまそうだな』

宮西達也作・絵

内容 おなかをすかせた大きな恐竜が、あかちゃん恐竜を見つけてとびかかろうとすると…。お父さんにまちがえられた大きな恐竜と、あかちゃんの愛情の物語。

ポプラ社　2003.3　1冊　27×22cm
（絵本の時間 23）　1200円
Ⓘ4-591-07643-1　Ⓝ913.6

『おれはティラノサウルスだ』〔シリーズ〕

宮西達也作・絵

内容 プテラノドンの子の目の前で、恐ろしいティラノサウルスが大けがを

してしまいました。心優しいプテラノドンの子はおそるおそる近づくと、かんびょうしてあげることにしましたが…。

ポプラ社　2004.1　1冊　27×22cm　（ティラノサウルスシリーズ　2）　1400円
Ⓘ978-4-591-07925-6　Ⓝ913.6

『きみはほんとうにステキだね』〔シリーズ〕

宮西達也作・絵

内容 むかしむかし、おおむかし。暴れん坊で意地悪で、ずるくて自分勝手な恐竜がいました。そんな恐竜にも、ふたりでいると、やさしくなれる、たったひとりの大切なともだちがいたのです。

ポプラ社　2004.9　1冊　27×22cm　（ティラノサウルスシリーズ　3）　1200円
Ⓘ978-4-591-08240-9　Ⓝ913.6

『あなたをずっとずっとあいしてる』〔シリーズ〕

宮西達也作・絵

内容 心やさしいマイアサウラのお母さんに、マイアサウラとして育てられたティラノサウルスの子・ハートは、ある日恐ろしいティラノサウルスに出会います。自分もティラノサウルスだと知ってしまったハートは…。

ポプラ社　2006.1　1冊　27×22cm　（ティラノサウルスシリーズ　4）　1400円
Ⓘ978-4-591-08984-2　Ⓝ913.6

『ぼくにもそのあいをください』〔シリーズ〕

宮西達也作・絵

内容 この世の中は力があるものが勝ち。力の強いものが1番なんだ。そう信じていたティラノサウルスがいました。月日が経ち、すっかり年をとったティラノサウルスは、ある日トリケラトプスの子どもに出会って…。

ポプラ社　2006.10　1冊　27×22cm　（ティラノサウルスシリーズ　5）　1400円
Ⓘ978-4-591-09444-0　Ⓝ913.6

『わたしはあなたをあいしています』〔シリーズ〕

宮西達也作・絵

内容 むかしむかし、恐竜たちは世界中に住んでいました。はるか遠くまで食べものを探しにやってきたティラノサウルスは、言葉の通じない3匹のホマロケファレと出会い、しだいに打ち解けていきますが…。せつない友情物語。

ポプラ社　2007.6　1冊　27×22cm　（ティラノサウルスシリーズ　6）　1400円
Ⓘ978-4-591-09801-1　Ⓝ913.6

『あいしてくれてありがとう』〔シリーズ〕

宮西達也作・絵

内容 ひとりぼっちのパウパウサウルスにはじめてできたともだちは、おそろしいティラノサウルスでした…。やさしい愛情物語。愛と涙がいっぱいのティラノサウルスシリーズ第7弾。

ポプラ社　2008.12　1冊　27×22cm　（ティラノサウルスシリーズ　7）　1400円
Ⓘ978-4-591-10566-5　Ⓝ913.6

『であえてほんとうによかった』〔シリーズ〕

宮西達也作・絵

内容 大昔。嫌われ者のティラノサウルスが、スピノサウルスの子どもをパクリと食べようとしたとき、大きな地震が起こりました。気が付くと、2人きりになっていて…。ティラノサウルスシリーズ第8弾。

ポプラ社　2009.11　1冊　27×22cm　（ティラノサウルスシリーズ　8）　1400円
Ⓘ978-4-591-11219-9　Ⓝ913.6

『いちばんあいされてるのはぼく』〔シリーズ〕

宮西達也作・絵

内容 むかし、むかし、大むかし。ティラノサウルスがひろった卵から、5匹のアンキロサウルスの赤ちゃんが生まれました。小さな赤ちゃんたちを見て、ティラノサウルスは…。父と子の深い愛の物語。ティラノサウルスシリーズ第9弾。

ポプラ社　2010.9　1冊　27×22cm　（ティラノサウルスシリーズ　9）　1400円
Ⓘ978-4-591-12042-2　Ⓝ913.6

『わたししんじてるの』〔シリーズ〕

宮西達也作・絵

内容 洞穴に閉じ込められてしまったお父さんとお母さんを助けるため、トリケラトプスの子はひとりで恐いティラノサウルスに頼みに行き…。恐竜の子の強い想いが起こした奇跡の物語。ティラノサウルスシリーズ第10弾。

ポプラ社　2011.6　1冊　27×22cm　（ティラノサウルスシリーズ　10）　1400円
Ⓘ978-4-591-12461-1　Ⓝ913.6

『ずっとずっといっしょだよ』〔シリーズ〕

宮西達也作・絵

内容 弱虫でひとりぼっちのティラノサウルスは、空から舞い降りてきたプテラノドンの女の子プノンと仲良くなる。ティラノサウルスはプノンのために強くなろうとするが…。心温まる友情物語。ティラノサウルスシリーズ第11弾。

ポプラ社　2012.6　1冊　27×22cm　（ティラノサウルスシリーズ　11）　1400円
Ⓘ978-4-591-12949-4　Ⓝ913.6

『あいすることあいされること』〔シリーズ〕

宮西達也作・絵

内容 ずるがしこくてきらわれもので、ひとりぼっちの恐竜トロオドンが、おおきなたまごを見つけました。おいしそうなたまごを背中におんぶしていると…。ティラノサウルスシリーズ第12弾。

ポプラ社　2013.9　1冊　27×22cm　（ティラノサウルスシリーズ　12）　1400円
Ⓘ978-4-591-13567-9　Ⓝ913.6

『やさしさとおもいやり』〔シリーズ〕

宮西達也作・絵

内容 むかし、山の上に大きな赤い実の木がありました。おなかをすかせたティラノサウルスとゴルゴサウルスがやってきて、けんかをはじめますが…。ティラノサウルスシリーズ第13弾。

ポプラ社　2015.3　1冊　27×22cm　（ティラノサウルスシリーズ　13）　1400円
Ⓘ978-4-591-14432-9　Ⓝ913.6

『ヒヒヒヒヒうまそう』〔シリーズ〕

宮西達也作・絵

内容 双子のトリケラトプスの赤ちゃんはケンカしてばかり。そこに、ティラノサウルスが「ヒヒヒヒヒうまそう」と近づいてきました。近くの赤い実が「うまそう」なのだと思ったふたりは、ティラノサウルスに赤い実をねだって…。

ポプラ社　2017.9　1冊　27×22cm　（ティラノサウルスシリーズ　14）　1400円
Ⓘ978-4-591-15488-5　Ⓝ913.6

『キラキラッとほしがかがやきました』〔シリーズ〕

宮西達也作・絵

内容 友だちだと思っていた恐竜たちから裏切られたティラノサウルスは、もう誰も信じないと思っていましたが、寂しがり屋の恐竜、デイノケイルスのディケルと出会い…。いつも誰かを思っている恐竜たちの絆の物語。

ポプラ社　2018.10　1冊　27×22cm　（ティラノサウルスシリーズ　15）　1400円
Ⓘ978-4-591-16022-0　Ⓝ913.6

〈ニャーゴ〉

(東書)「新しい国語 二下」 2011, 2015 「新しい国語 二上」 2020, 2024

『にゃーご』

宮西達也作・絵

内容 さんびきのねずみのまえにとつぜんあらわれたおおきなねこ。にゃーご! …ところが、ねずみたちは「いっしょにもももをとりにいかない?」とねこをさそって…。

鈴木出版 1997.2 29p 26×21cm (ひまわりえほんシリーズ) 1030円
Ⓘ4-7902-6077-1 Ⓝ913.6

『ちゅーちゅー』〔シリーズ〕

宮西達也作・絵

内容 お昼寝から目を覚ました3匹の子ねずみの前にいたのは、大きなねこ。びっくりした子ねずみたちでしたが、そのねこは、ねずみを見たことがありませんでした。子ねずみたちは、ねこをだまそうと…。

鈴木出版 2010.1 1冊 27cm (ひまわりえほんシリーズ) 1300円
Ⓘ978-4-7902-5206-1 Ⓝ913.6

『国語教科書にでてくる物語 1年生・2年生』

齋藤孝著

目次 1年生 (タヌキのじてんしゃ (東君平), おおきなかぶ (トルストイ), サラダでげんき (角野栄子), いなばの白うさぎ (福永武彦), しましま (森山京), はじめは「や!」(香山美子), まのいいりょうし (稲田和子・筒井悦子), ゆうひのしずく (あまんきみこ), だってだってのおばあさん (佐野洋子), ろくべえまってろよ (灰谷健次郎), 2年生 (ちょうちょだけになぜなくの (神沢利子), きいろいばけつ (森山京), 三まいのおふだ (瀬田貞二), にゃーご (宮西達也), きつねのおきゃくさま (あまんきみこ), スーホの白い馬 (大塚勇三), かさこじぞう (岩崎京子), 十二支のはじまり (谷真介), 泣いた赤おに (浜田廣介))

ポプラ社 2014.4 284p 18cm (ポプラポケット文庫) 700円
Ⓘ978-4-591-13916-5 Ⓝ913.68

三好 達治　みよし たつじ

〈雪〉

［光村］「国語 あおぞら 三下」 2015

『雪』

三好達治著

目次 雪，乳母車，春の岬，甃のうへ，少年，燕，春といふ，草の上，春，土〔ほか〕

童話屋　2010.2　156p　15cm　1250円

Ⓘ978-4-88747-101-6　Ⓝ911.56

『三好達治詩集』

三好達治著

目次 測量船，南窗集，閒花集，山果集，艸千里，一点鐘，花筐，故郷の花，砂の砦，日光月光集，ラクダの瘤にまたがって，百たびののち，「百たびののち」以後

内容 「太郎を眠らせ、太郎の屋根に雪ふりつむ。/ 次郎を眠らせ、次郎の屋根に雪ふりつむ。」豊かなイメージを呼び起こすわずか二行の代表作「雪」を収録した第一詩集『測量船』から、『百たびののち』以後の作まで、昭和期を代表する最大の詩人・三好達治が、澄み切った知性と精確な表現で綴った全一三六篇を新仮名遣いで収録。教科書でもおなじみの「蟻が / 蝶の羽をひいて行く / ああ / ヨットのようだ」(「土」) など、時を超えて、いまなお私たちの心を揺さぶる名詩の世界。文庫オリジナル版。

角川春樹事務所　2012.11　221p　15cm　(ハルキ文庫)　680円

Ⓘ978-4-7584-3703-5　Ⓝ911.56

『光村ライブラリー 第18巻 《おさるがふねをかきました ほか》』

樺島忠夫，宮地裕，渡辺実監修，まどみちお，三井ふたばこ，阪田寛夫，川崎洋，河井酔茗ほか著，松永禎郎，杉田豊，平山英三，武田美穂，小野千世ほか画

目次 おさるがふねをかきました（まど・みちお），みつばちぶんぶん（小林純一），あいうえお・ん（鶴見正夫），ぞうのかくれんぼ（高木あきこ），おうむ（鶴見正夫），あかいカーテン（みずかみかずよ），ガラスのかお（三井ふたばこ），せいのび（武鹿悦子），かぼちゃのつるが（原田直友），三日月（松谷みよ子），夕立（みずかみかずよ），さかさのさかさはさかさ（川崎洋），春（坂本遼），虻（嶋岡晨），若葉よ来年は海へゆこう（金子光春），われは草なり（高見順），くま

さん（まど・みちお），おなかのへるうた（阪田寛夫），てんらん会（柴野民三），夕日がせなかをおしてくる（阪田寛夫），ひばりのす（木下夕爾），十時にね（新川和江），みいつけた（岸田衿子），どきん（谷川俊太郎），りんご（山村暮鳥），ゆずり葉（河井酔茗），雪（三好達治），影（八木重吉），楽器（北川冬彦），動物たちの恐ろしい夢のなかに（川崎洋），支度（黒田三郎）

内容 光村図書の小学国語教科書の中から、定評のある作品を精選したアンソロジー。大きな活字で読みやすく、学校、家庭での読書、読み聞かせに最適。第18巻には詩作品31作と、阪田寛夫による大人向けの解説を収録。

光村図書出版　2004.11　83p　21cm　1000円
Ⓘ4-89528-116-7　Ⓝ908

『日本の詩 7《しぜん》 新版』

遠藤豊吉編・著

目次 北見の海岸（中野重治），海（千家元麿），くずの花（田中冬二），春夜（伊藤整），一つのメルヘン（中原中也），落葉松（北原白秋），散る日（金井直），冬が来た（高村光太郎），浪（中野重治），山小屋の電話（秋谷豊），夕ぐれの時はよい時（堀口大学），木立の奥 こんなちいさな…（伊東海彦），夕暮（丸山薫），春（安西冬衛），雪（三好達治），北の海（中原中也），大阿蘇（三好達治），春（北川冬彦），冬深む（村野四郎），忘れもの（高田敏子）

小峰書店　2016.11　63p　20×16cm　1300円
Ⓘ978-4-338-30707-9　Ⓝ911.568

『丸山薫・三好達治』

萩原昌好編

目次 丸山薫（青い黒板，水の精神，嘘，汽車に乗って，練習船，早春，未明の馬，未来へ，母の傘，ほんのすこしの言葉で，詩人の言葉，海という女），三好達治（雪，春，村，Enfance finie，昨日はどこにもありません，祖母，土，チューリップ，石榴，大阿蘇，涙，かよわい花，浅春偶語）

あすなろ書房　2012.8　95p　20×16cm　（日本語を味わう名詩入門 10）　1500円
Ⓘ978-4-7515-2650-7　Ⓝ911.568

村山 桂子　むらやま けいこ

〈たろうのともだち〉

(三省堂)「小学生のこくご 二年」 2011, 2015

『たろうのともだち』

村山桂子著，堀内誠一画

内容 友だちが欲しいコオロギは、散歩の途中で会った機嫌の悪いヒヨコの家来にされてしまいます。ヒヨコの家来になってついていくと、ヒヨコはネコの家来に、ネコはイヌの家来に次々とされてしまいます。しまいに4匹はたろうと出会いますが、たろうは「けらいなんて、ぼくいやだ！」ときっぱりお断り。するとみんなも口ぐちに「けらいなんてぼくもいや！」と続きます。そこで、みんなは仲良しの友だちになって庭を散歩しました

福音館書店　1967.4（初版 1977.4）27p 20×27cm（こどものとも傑作集 37）1000円

Ⓘ4-8340-0514-3　Ⓝ913.6

茂市 久美子　もいち くみこ

〈クマの風船〉

(東書)「新しい国語 三下」 2020, 2024

『ゆうすげ村の小さな旅館』

茂市久美子作，菊池恭子絵

目次 ウサギのダイコン，満月の水，天の川のたんざく，ゆうすげ平の盆踊り，おだんごのすきなお客さま，霜のふる夜に，干し柿，お正月さんのぽち袋，七草，帽子をとらないお客さま，花の旅の添乗員，クマの風船

内容 ゆうすげ村のゆうすげ旅館の12か月。つぼみさんは1人で旅館をきりもりしています。お客さんも、ちょっと変わっていて、こんな旅館があったらステキです。心暖まる、ファンタジーのはじまりです。小学中級から。

講談社　2000.7　162p　21cm　（わくわくライブラリー）　1400円
Ⓘ4-06-195696-5　Ⓝ913.6

〈ゆうすげ村の小さな旅館―ウサギのダイコン〉

（東書）「新しい国語 三上」 2011, 2015 「新しい国語 三下」 2020, 2024

『ゆうすげ村の小さな旅館』

茂市久美子作，菊池恭子絵

目次 ウサギのダイコン，満月の水，天の川のたんざく，ゆうすげ平の盆踊り，おだんごのすきなお客さま，霜のふる夜に，干し柿，お正月さんのぽち袋，七草，帽子をとらないお客さま，花の旅の添乗員，クマの風船

内容 ゆうすげ村のゆうすげ旅館の12か月。つぼみさんは1人で旅館をきりもりしています。お客さんも、ちょっと変わっていて、こんな旅館があったらステキです。心暖まる、ファンタジーのはじまりです。小学中級から。

講談社　2000.7　162p　21cm　（わくわくライブラリー）　1400円
Ⓘ4-06-195696-5　Ⓝ913.6

『教科書にでてくるお話 3年生』

西本鶏介監修

目次 のらねこ（三木卓），きつつきの商売（林原玉枝），ウサギのダイコン（茂市久美子），きつねをつれてむらまつり（こわせたまみ），つりばしわたれ（長崎源之助），手ぶくろを買いに（新美南吉），うみのひかり（緒島英二），サーカスのライオン（川村たかし），おにたのぼうし（あまんきみこ），百羽のツル（花岡大学），モチモチの木（斎藤隆介），かあさんのうた（大野允子），ちいちゃんのかげおくり（あまんきみこ）

内容 現在使われている各社の国語教科書に掲載または紹介されている作品ばかりを集めたアンソロジーです。長く読みつがれている名作、心あたたまるお話、おもしろくて元気がでるお話など、すばらしい作品がいっぱい。作品の表記は原典に忠実にし、全文を掲載しています。教科書では気づかなかった作品の魅力を、新たに発見できるかもしれません。小学校中級から。

ポプラ社　2006.3　186p　18cm　（ポプラポケット文庫）　570円
Ⓘ4-591-09169-4　Ⓝ913.68

森枝 卓士　もりえだ たかし

〈ほしたらどうなる〉

(学図)「みんなと学ぶ 小学校国語 三年上」 2020

『干したから…』〔関連図書〕

森枝卓士写真・文

内容 これ、カエルの干物⁉ 稲は干すの？稲も干すの！まんまるおせんべい？いやいや、干したなっとうなんだ！たくさんのサケがつるされちゃってるよ‼ 世界の干した食べもの大集合！野菜も魚も、肉も⁉ どうして干しちゃうの⁉ テーブルの上でふしぎを発見‼ 世界じゅうを歩いた著者による、ふしぎなふしぎな「干したもの」のおはなし。干すことのふしぎとその目的を紹介。

フレーベル館　2016.3　1冊　22×27cm　（ふしぎびっくり写真えほん）　1400円

Ⓘ978-4-577-04371-4　Ⓝ619

森山 京　もりやま みやこ

〈おとうとねずみチロ〉

(東書)「あたらしいこくご 一下」 2011, 2015, 2020, 2024

『おとうとねずみチロのはなし』

森山京作，門田律子絵

目次 しましま，すうすう，くんくん，ずきずき，ぶかぶか

内容 もりのなかのちいさないえに、のねずみのかぞくがすんでいます。がんばりやのすえっこチロは、まいにち、なにをしているのかな。

講談社　1996.7　77p　21cm　1200円

Ⓘ4-06-208264-0　Ⓝ913.6

『おとうとねずみチロとあそぼ』〔シリーズ〕

森山京作，門田律子絵

内容 森の中の小さな家にすむ、のねずみ一家のすえっこチロと、おにいちゃん、おねえちゃんの、たのしいおはなしがいっぱい

講談社　1997.9　76p　20×15cm　1200円
Ⓘ4-06-208869-X　Ⓝ913.6

『おとうとねずみチロはげんき』〔シリーズ〕

森山京作，門田律子絵

内容 にいさんたちのすることは、なんでもいっしょにやりたがる、のねずみいっかの、すえっこチロ。ふゆからはるにかけてのおはなしです。

講談社　1997.3　77p　19×15cm　1236円
Ⓘ4-06-208523-2　Ⓝ913.6

『もりやまみやこ童話選 3』

もりやまみやこ作，黒井健絵

目次 おはなしぽっちり，こぶたブンタのネコフンジャッタ，おとうとねずみチロの話，おとうとねずみチロは元気，こうさぎのあいうえお，けんかのあとのごめんなさい，12の月のちいさなお話

内容 春には春のたのしさがあります。夏には夏の…それぞれの季節がまちどおしくてみんなわくわくしているのです。みんな元気に、みんな大きくなって—自然とともによろこびをかんじる童話『もりやまみやこ童話選3』。

ポプラ社　2009.3　145p　21cm　1200円
Ⓘ978-4-591-10788-1　Ⓝ913.6

〈かいがら〉

(東書)「あたらしいこくご 一上」 2011, 2015, 2020, 2024

『12のつきのちいさなおはなし』

森山京作，渡辺洋二画

内容 うさぎちゃんと、きつねくんと、くまくんが、4つのきせつを、かわいいおはなしで、あんないします。おまけのはなしも、ついてます。おかあさん、いっしょによんで！まいにちの家事や育児に疲れたり、イライラしているお母さん、そんなお母さんたちの心に、優しさをとりもどす“薬”のようなお話です。お子さんといっしょによんで下さい。

童心社　1997.4　118p　19×16cm　1100円
Ⓘ4-494-00873-7　Ⓝ913.6

『もりやまみやこ童話選 3』

もりやまみやこ作，黒井健絵

目次 おはなしぽっちり，こぶたブンタのネコフンジャッタ，おとうとねずみチロの話，おとうとねずみチロは元気，こうさぎのあいうえお，けんかのあとのごめんなさい，12の月のちいさなお話

内容 春には春のたのしさがあります。夏には夏の…それぞれの季節がまちどおしくてみんなわくわくしているのです。みんな元気に、みんな大きくなって―自然とともによろこびをかんじる童話『もりやまみやこ童話選 3』。

ポプラ社　2009.3　145p　21cm　1200円

Ⓘ978-4-591-10788-1　Ⓝ913.6

〈黄色いバケツ〉

(光村)「こくご たんぽぽ 二上」 2011

『きいろいばけつ』

もりやまみやこ著

内容 きつねの子が丸木橋のたもとで、誰が落としたのかわからない真新しいきいろいばけつをみつけました。前からずっと欲しいと思っていたきいろいばけつ。「だれのだろう」と、うさぎの子とくまの子に相談すると「だれもとりにこなければきつねくんのものにしたら」といいます。そこで、ばけつを一週間置きっぱなしにしてみることに…。幼い子どもが抱く希望や不安、喜びをやさしいタッチで描いた心あたたまる幼年童話。

あかね書房　1985.4　75p　22cm（あかね幼年どうわ 33）854円

Ⓘ4-251-00693-3　Ⓝ913.6

『つりばしゆらゆら』〔シリーズ〕

もりやまみやこ著

内容 つりばしのむこうにきつねの女の子がいることを聞いて、きつねの男の子は、つりばしをわたる練習をはじめました…。

あかね書房　1986.3　77p　22cm（きつねの子シリーズ）1000円

Ⓘ978-4-251-00698-1　Ⓝ913.6

『ぼくだけしってる』〔シリーズ〕

もりやまみやこ著

内容 くまの子は船に、うさぎの子はバスに乗ったことがありますが、きつねの子はどちらも知りません。だけど…。

あかね書房　1987.1　77p　22cm　（きつねの子シリーズ）　1000円
Ⓘ978-4-251-00711-7　Ⓝ913.6

『たからものとんだ』〔シリーズ〕

もりやまみやこ著

内容 きつねの子の宝物は、まばゆいほど白い紙ひこうき。うさぎの子とくまの子にないしょで、毎朝とばしていましたが…。

あかね書房　1987.11　77p　22cm　（きつねの子シリーズ）　1000円
Ⓘ978-4-251-00715-5　Ⓝ913.6

『あのこにあえた』〔シリーズ〕

もりやまみやこ著

内容 きつねの子は、一歩一歩つりばしをわたっていきました。むこうがわにすむきつねの女の子にあえるでしょうか？

あかね書房　1988.4　77p　22cm　（きつねの子シリーズ）
1000円
Ⓘ978-4-251-00716-2　Ⓝ913.6

『もりやまみやこ童話選 1』

もりやまみやこ作，はたこうしろう絵

目次 きいろいばけつ，つりばしゆらゆら，あのこにあえた，ドレミファドーナツふきならせ，ほんとはともだち，赤いクレヨン，ポケットのなか，おおきくなったら

内容 きつねのこも、うさぎのこも、りすのこも、みんないっしょに楽しくあそんで、おしゃべりして、かんがえて、大きくなります。友だちっていつもそばにいてくれる―あたたかな心があふれる童話『もりやまみやこ童話選1』。

ポプラ社　2009.3　141p　21cm　1200円
Ⓘ978-4-591-10786-7　Ⓝ913.6

〈ゆうだち〉

(光村)「こくご かざぐるま 一上」 2011

『なつ』

もりやまみやこ作，とよたかずひこ絵

目次 かばのこ，びわ，みずたま，ゆうだち，かまきり，なつやすみ，はなび，ねびえ，ほうせんか

内容 それぞれの季節のなかで、こどもたちのできごとを、やさしく、たのしく、ちょっぴりかなしく、そしてユーモラスにつづった、ちいさな童話集です。どれもみじかいおはなしだから、ぽっちりのじかんでよめます。おやすみまえのひととき、おかあさんとごいっしょに。5才～小学校低学年向。

小峰書店 1989.6 59p 20×16cm
（おはなしぽっちり 2） 780円
Ⓘ4-338-08302-6 Ⓝ913.6

〈ゆうやけ〉

(光村)「こくご かざぐるま 一上」 2015

『12のつきのちいさなおはなし』

森山京作，渡辺洋二画

内容 うさぎちゃんと、きつねくんと、くまくんが、4つのきせつを、かわいいおはなしで、あんないします。おまけのはなしも、ついてます。おかあさん、いっしょによんで！まいにちの家事や育児に疲れたり、イライラしているお母さん、そんなお母さんたちの心に、優しさをとりもどす“薬”のようなお話です。お子さんといっしょによんで下さい。

童心社 1997.4 118p 19×16cm 1100円
Ⓘ4-494-00873-7 Ⓝ913.6

『もりやまみやこ童話選 3』

もりやまみやこ作，黒井健絵

目次 おはなしぽっちり，こぶたブンタのネコフンジャッタ，おとうとねずみチロの話，おとうとねずみチロは元気，こうさぎのあいうえお，けんかのあとのごめんなさい，12の月のちいさなお話

内容 春には春のたのしさがあります。夏には夏の…それぞれの季節がまち

どおしくてみんなわくわくしているのです。みんな元気に、みんな大きくなって—自然とともによろこびをかんじる童話『もりやまみやこ童話選3』。

ポプラ社　2009.3　145p　21cm　1200円
Ⓘ978-4-591-10788-1　Ⓝ913.6

やえがし なおこ

〈白い花びら〉

（教出）「ひろがる言葉 小学国語 三上」 2015, 2020, 2024

『白い花びら』

やえがしなおこ文，佐竹美保絵

内容 風がザアッとふいてきて、花びらが一度に空にまい上がった。そして、こんな声が、ゆうたの耳に聞こえた気がした。—またね。また会おうね。やさしく、のびやかな想像の力を育む、教科書にのっている物語。

岩崎書店　2017.2　1冊　31×21cm　1600円
Ⓘ978-4-265-83043-5　Ⓝ913.6

矢間 芳子　やざま よしこ

〈すみれとあり〉

（教出）「ひろがることば 小学国語 二上」 2011, 2015, 2020, 2024

『すみれとあり—どきどきしぜん』

矢間芳子作，森田竜義監修

内容 春の終わり、アリがすみれの種を運んでいるのを発見。どうしてアリが種を運ぶのかな？ じっと観察してみると…。すみれとありの関係を描いた絵本。

福音館書店　1995.4（初版 2002.3）　27p　24×25cm（かがくのとも傑作集）1000円
Ⓘ978-4-8340-1817-2　Ⓝ468.4

やなせ たかし

〈てのひらを太陽に〉

(光村)「こくご 赤とんぼ 二下」 2015

『てのひらをたいように』

やなせたかし詩・絵

内容 世代を超えてうたいつがれる童謡。うたえば元気がわいてくる！

フレーベル館　2018.8　1冊　18 × 16cm　（あかちゃんといっしょ 0･1･2 35）　700円

Ⓘ978-4-577-04660-9　Ⓝ726.6

『てのひらをたいように』

やなせたかしし・え

国土社　2004.2　1冊（ページ付なし）　26cm　（しのえほん 2）　1300円

Ⓘ4-337-00302-9　Ⓝ911.56

『やなせたかし全詩集』

やなせたかし著

内容 ぼくらは みんな生きている 生きているから かなしいんだ「てのひらを太陽に」創作から45年。「愛する歌」から「アンパンマン伝説」までを網羅した、自選による詩作の集大成。亡弟への鎮魂歌も収録。

北溟社　2007.1　661p　21cm　4000円

Ⓘ978-4-89448-528-0　Ⓝ911.56

〈なにかをひとつ〉

(学図)「みんなと学ぶ 小学校国語 三年下」 2015, 2020

『やなせたかし童謡詩集 勇気の歌』

やなせたかし詩・絵

目次 勇気（勇気の歌, 勇気, 夕刊 ほか）, 愛（愛するいのち, 愛その愛, ある日ひとつの ほか）, 涙（あたたかい涙, かなしみのきえる峠, 青い風の中で ほか）, 心（心はどこに, 大阪の亀, 犬が自分のしっぽをみてうたう歌 ほか）

内容 勇気、愛、涙、心をテーマにアンパンマンの作者が書き溜めた、子どものための童謡・童詩などをまとめた詩集。

フレーベル館　2000.9　109p　21cm　1000円
Ⓘ4-577-02132-3　Ⓝ911.58

『やなせたかし全詩集』

やなせたかし著

内容 ぼくらは みんな生きている 生きているから かなしいんだ「てのひらを太陽に」創作から45年。「愛する歌」から「アンパンマン伝説」までを網羅した、自選による詩作の集大成。亡弟への鎮魂歌も収録。

北溟社　2007.1　661p　21cm　4000円
Ⓘ978-4-89448-528-0　Ⓝ911.56

山口 文生　やまぐち ふみお

〈ランパンパン〉

(学図)「みんなと学ぶ 小学校こくご 二年上」 2015

『ラン パン パン―インドみんわ』

マギー・ダフさいわ，ホセ・アルエゴ，アリアンヌ・ドウィ絵，山口文生訳

内容 クロドリは、王様にたたかいをいどむため、武装して出かけました。クロドリのおくさんが、王様にさらわれてしまったからです。とちゅう、ネコと木の枝、川、アリがなかまに加わり、クロドリの耳の中におさまって、いっしょに行くことになりました。クロドリは、王様の前にとおされましたが、さて…。

評論社　1989.6　1冊　21×26cm　(児童図書館・絵本の部屋)　1030円
Ⓘ4-566-00281-0　Ⓝ929.8

山下 明生　やました はるお

〈海をかっとばせ〉

(光村)「国語 わかば 三上」 2011

『海をかっとばせ』

山下明生作，杉浦範茂絵

内容 野球少年ワタルが、特訓を決意します。毎朝、早起きして海辺まで走ってゆこう！うち寄せる波をめがけてバットを振ろう！ピンチヒッターでもいいからなんとしても夏の大会にでよう！―と。その純真な少年の心と行動を描く絵本。きめこまかで、鮮やかで、文と絵とが共鳴しあった、さわやかなファンタジー絵本です。

偕成社　2000.7　1冊　26×21cm　1200円
Ⓘ4-03-330790-7　Ⓝ913.6

『山下明生・童話の島じま 2 《杉浦範茂の島・海をかっとばせ》』

山下明生作，杉浦範茂画

目次 ありんこぞう，まつげの海のひこうせん，海をかっとばせ，たんていタコタン，波のうらがわの国

あかね書房　2012.3　126p　21cm　1300円
Ⓘ978-4-251-03052-8　Ⓝ913.6

山田 真　　やまだ まこと

〈きゅうきゅうばこ〉

(三省堂)「小学生のこくご 学びを広げる 二年」 2011

『きゅうきゅうばこ 新版』〔関連図書〕

やまだまこと文，やぎゅうげんいちろう絵

目次 やけど，すりきず，きりきず，とげ，ドアにはさんだ，はなぢ，しゃっくり，たんこぶ，はちにさされた，みみにむしがはいった，ねこにひっかかれた，あしがしびれた

内容 けがのてあてのおべんきょう。読んであげるなら4才から、じぶんで読むなら小学校初級から。

福音館書店　2017.2　28p　26×24cm　（かがくのとも絵本）　900円
Ⓘ978-4-8340-8321-7　Ⓝ492.29

『かがくのとも版 きゅうきゅうばこ』〔関連図書〕
山田真文，柳生弦一郎絵

内容 このほんは、きみたちがおかあさんといっしょに、けがのてあてを、べんきょうしてみるためのほんです。

福音館書店　1987.2　28p　26×24cm　（かがくのとも傑作集）　680円
Ⓘ4-8340-0695-6　Ⓝ492.29

山中 利子　やまなか としこ

〈き〉
（東書）「あたらしいこくご 一上」 2024

『たべちゃうぞ』
山中利子詩，早川純子絵

内容 ぼくはさかなを、毛虫ははっぱを…みーんな、みーんなたべちゃうぞ! いろいろな「たべる」を、それぞれ違った視点でとらえた15の詩を、迫力いっぱいの絵とともに紹介する。

リーブル　2012.5　1冊（ページ付なし）　21×22cm　（詩のえほん）　1200円
Ⓘ978-4-947581-69-3　Ⓝ911.56

山村 暮鳥　やまむら ぼちょう

〈雪〉
（光村）「国語 あおぞら 三下」 2011, 2015

『おうい 雲よ—山村暮鳥詩集』
山村暮鳥著，新井リコ画，北川幸比古編

内容 みずみずしい詩情･美しいことば。没後70年、いまなお新鮮で、かつ深い暮鳥詩の世界。

岩崎書店　1995.9　102p　20×19cm
（美しい日本の詩歌 4）　1500円
Ⓘ4-265-04044-6　Ⓝ911.56

『山村暮鳥』

山村暮鳥著, 萩原昌好編, 谷山彩子画

目次 風景 純銀もざいく, 人間に与える詩, 子どもは泣く, 先駆者の詩, 此の世界のはじめもこんなであったか, 或る日の詩, 道, 麦畑, わたしたちの小さな畑のこと, 友におくる詩〔ほか〕

内容 日本の民衆詩を代表する詩人、山村暮鳥。その初期の前衛的な詩から、晩年の人道主義的な詩までわかりやすく紹介します。

あすなろ書房 2011.6 95p 20×16cm (日本語を味わう名詩入門 4) 1500円
Ⓘ978-4-7515-2644-6 Ⓝ911.568

与田 準一 よだ じゅんいち

〈だれかしら〉

(光村)「こくご 赤とんぼ 二下」 2011

『ぼくかがかいたまんが』

与田準一詩, 山高登絵

目次 すな, 石ころとぼく, あの鳥は, 星ときょうだい, ママのひざのうえで, ママはいつから, おかあさんのかお, ぼくがかいたまんが, だあれ?, かあさんいぬとこいぬ〔ほか〕

国土社 2003.1 77p 25×22cm (現代日本童謡詩全集 17) 1600円
Ⓘ4-337-24767-X Ⓝ911.58

『森の夜あけ―与田準一童謡集』

与田準一著, 矢崎節夫撰

目次 森の夜あけ (かあさんの顔, 森の夜あけ ほか), 山羊とお皿 (山の話, 谷間 ほか), 遠い景色 (時間, ぼくのいぬころ ほか), あたらしい歯 (山とぼく, 空とぼく ほか), うたのなかのはたのように (空がある, ゆめのなかの ほか), ぼくたち大きくなってから (小学校, 四ばんめの板 ほか)

JULA出版局 1992.5 159p 18cm 1200円
Ⓘ4-88284-073-1 Ⓝ911.58

李 錦玉　　りきんぎょく

〈三年とうげ〉

（光村）「国語 あおぞら 三下」 2011, 2015, 2020, 2024

『さんねん峠―朝鮮のむかしばなし』
李錦玉著，朴民宜画

岩崎書店　1981.2　28p　25cm　(新・創作絵本 21)　1200円
Ⓘ4-265-91021-1　Ⓝ929.13

『さんねん峠―朝鮮のむかしばなし』
李錦玉作，朴民宜画

目次 へらない稲たば，ことばを話すやぎ，金のふで，海の水はどうしてからいの，ポンイミととのさま，かいこになったおひめさま，天に帰らなかった山の精，トルセのきびもち，かわうそとうさぎのちえ，ウサギのさいばん，ケドリのろば，よわむしごうけつ，牛のお面，家族なかよしのひみつ，ネギをたべた人，さんねん峠

内容 家族愛や正直・勇気・思いやり・労働などのたいせつなことを訴える「さんねん峠」「へらない稲たば」や、庶民が権力者への抵抗を機知で成功させる「うさぎのさいばん」などとともに、悲しい恋物語「天に帰らなかった山の精」なども収められたバラエティに富んだ朝鮮の民話集。在日朝鮮人二世の作家と画家が心をこめて日本の読者に贈る佳品十六編。

岩崎書店　1996.7　150p　18cm　(フォア文庫)　550円
Ⓘ4-265-06304-7　Ⓝ929.13

『国語教科書にでてくる物語 3年生・4年生』
斎藤孝著

目次 3年生 (いろはにほへと (今江祥智)，のらねこ (三木卓)，つりばしわたれ (長崎源之助)，ちいちゃんのかげおくり (あまんきみこ)，きつねのおきゃくさま... ききみみずきん (木下順二)，ワニのおじいさんのたからもの (川崎洋)，さんねん峠 (李錦玉)，サーカスのライオン (川村たかし)，モチモチの木 (斎藤隆介)，手ぶくろを買いに (新美南吉))，4年生 (やいトカゲ (舟崎靖子)，白いぼうし (あまんきみこ)，木竜うるし（木下順二），こわれた1000の楽器（野呂昶），一つの花（今西祐行），りんご畑の九月（後藤竜二），ごんぎつね（新美南吉），せかいいちうつくしいぼくの村（小林豊），寿限無（興津要），初雪のふる日（安房直子））

内容 国語教科書にでてくるお話を、物語を楽しむためのヒントとなる解説を付けて紹介。3年生・4年生は、「ききみみずきん」「手ぶくろを買いに」「白いぼうし」「寿限無」などを収録する。

ポプラ社　2014.4　294p　18cm　（ポプラポケット文庫）　700円
Ⓘ978-4-591-13917-2　Ⓝ913.68

レオ・レオニ

〈アレクサンダとぜんまいねずみ〉

（教出）「ひろがることば 小学国語 二下」 2011, 2015, 2020, 2024

『アレクサンダとぜんまいねずみ―ともだちをみつけたねずみのはなし』

レオ＝レオニ作，谷川 俊太郎訳

内容 ねずみのアレクサンダは、みんなにちやほやされる、おもちゃのぜんまいねずみのウイリーがうらやましい。自分をぜんまいねずみに変えてもらおうと、魔法のとかげに会いに行くが…。思いやりと友情を伝える、心温まる大型絵本。

好学社　2012.10　1冊　52cm　（ビッグブック）　9，800円
Ⓘ978-4-7690-2026-4　Ⓝ933.7

『アレクサンダとぜんまいねずみ―ともだちをみつけたねずみのはなし』

レオ・レオニ著，谷川俊太郎訳

内容 ねずみのアレクサンダは、子どもたちにちやほやされる玩具のぜんまいねずみがうらやましくて仕方ありません。ところがある日…。

好学社　1988.4　30p　28cm　1456円
Ⓘ4-7690-2005-8　Ⓝ933.7

『シャベルでホイ』

目次 ちょうちょ（のろさかん），アレクサンダとぜんまいねずみ（レオ・レオニ），ピューンの花（平塚武二），なんでもロボット（寺村輝夫），くさいろのマフラー（後藤竜二），三まいのおふだ（日本の昔話），シャベルでホイ（サトウハチロー），はんてんをなくしたヒョウ（ヒューエット），ウーフはおしっこでできてるか??（神沢利子）

れお

国土社　1985.4　125p　22cm　（新・文学の本だな 小学校低学年 2）　1200円
Ⓘ4-337-25204-5　Ⓝ908

〈スイミー〉

（学図）「みんなと学ぶ 小学校こくご 二年上」 2011, 2015, 2020 （教出）「ひろがることば しょうがくこくご 一下」 2020, 2024 （光村）「こくご たんぽぽ 二上」 2011, 2015, 2020, 2024 （東書）「あたらしいこくご 一下」 2015, 2020, 2024

『スイミー―ちいさなかしこいさかなのはなし』

レオ・レオニ作，谷川俊太郎訳

内容 小さな黒い魚スイミーは、広い海で仲間と暮らしていました。ある日、なかまたちがみんな大きな魚に食べられてしまい、一匹のこったスイミーは…。

好学社　1994.1　1冊　28cm　1456円
Ⓘ4-7690-2001-5　Ⓝ933.7

『スイミー―ちいさなかしこいさかなのはなし』

レオ・レオニ作，谷川俊太郎訳

内容 小さな黒い魚スイミーは、広い海で仲間と暮らしていました。ところがある日、仲間たちがまぐろに食べられてしまい…。

好学社　2010.11　1冊　52×41cm　（ビッグブック）　9800円
Ⓘ978-4-7690-2020-2　Ⓝ933.7

『くじらぐもからチックタックまで』

石川文子編

目次 くじらぐも（中川李枝子），チックタック（千葉省三），小さい白いにわとり（（ウクライナの民話）光村図書出版編集部編），おおきなかぶ（内田莉莎子訳，A.トルストイ再話），かさこじぞう（岩崎京子），ハナイッパイになあれ（松谷みよ子），おてがみ（三木卓訳，アーノルド・ローベル原作），スイミー（谷川俊太郎訳，レオ＝レオニ原作），馬頭琴（（モンゴルの民話）君島久子訳），おじさんのかさ（佐野洋子），花とうぐいす（浜田広介），いちごつみ（神沢利子），おかあさんおめでとう（『くまの子ウーフ』より）（神沢利子），きつねのおきゃくさま（あまんきみこ），きつねの子のひろった定期券（松谷みよ子），きつねの窓（安房直子），やまなし（宮澤賢治），最後の授業（桜田佐訳 アルフォンス・ドーデ原作），譲り葉（河井酔茗），雨ニモマケズ（宮澤賢治）

内容 昭和40年から現在までこくごの教科書のおはなしベスト20。「もう一度読みたい」リクエスト作品と、採用頻度の高い作品で作りました。教科書でしか読めなかった名作『くじらぐも』が、初めて教科書から飛び出しました。

フロネーシス桜蔭社，メディアパル〔発売〕 2008.11 222p 19cm 1400円
Ⓘ978-4-89610-746-3 Ⓝ913.68

〈フレデリック〉

(三省堂)「小学生のこくご 二年」 2011, 2015

『フレデリック―ちょっとかわったのねずみのはなし』

レオ・レオニ著

内容 仲間の野ねずみが冬に備えて食料を貯えている夏の午後、フレデリックだけは何もせず、ぼんやり過ごしておりました。「ぼくはおひさまのひかりをあつめてるんだ。」やがて寒い冬がきて…。

好学社 1987.3 1冊 29cm 1456円
Ⓘ4-7690-2002-3 Ⓝ933.7

『フレデリック―ちょっとかわったのねずみのはなし』

レオ＝レオニ作，谷川 俊太郎訳

内容 仲間の野ねずみたちが昼も夜もせっせと働き、食べ物を貯えている間、フレデリックだけは何もせず、ぼんやり過ごしているように見えました。やがて寒い冬が来て、食べ物が少なくなってくると…。大型絵本。

好学社 2016.11 1冊（ページ付なし） 52cm （ビッグブック） 9800円
Ⓘ978-4-7690-2029-5 Ⓝ933.7

ローベル，アーノルド

〈おちば〉

（東書）「新しい国語 二下」 2024

『ふたりはいつも』

アーノルド・ローベル著，三木卓訳

内容 がまくんとかえるくんのユーモラスな冒険物語が5編。「そりすべり」「アイスクリーム」「クリスマス・イブ」など春夏秋冬、一年間のふたりの生活が盛りこまれています。

文化出版局　1977.5　64p　22cm　（ミセスこどもの本）　854円

Ⓘ4-579-40080-1　Ⓝ933.7

※『ふたりはいつも』シリーズは下記〈お手がみ〉〈お手紙〉も参照してください

〈お手がみ〉

（教出）「ひろがることば しょうがくこくご 一下」 2011, 2015, 2020, 2024

〈お手紙〉

（学図）「みんなと学ぶ 小学校こくご 二年下」 2011, 2015, 2020 （光村）「こくご 赤とんぼ 二下」 2011, 2015, 2020, 2024 （三省堂）「小学生のこくご 二年」 2011, 2015 （東書）「新しい国語 二上」 2011, 2015 「新しい国語 二下」 2020, 2024

『ふたりはともだち』

アーノルド・ローベル著，三木卓訳

目次 はるがきた，おはなし，なくしたボタン，すいえい，おてがみ

内容 仲よしのがまくんとかえるくんを主人公にしたユーモラスな友情物語を5編収録。読みきかせにもふさわしいローベルの傑作。

文化出版局　1972.11　64p　22cm　（ミセスこどもの本）　854円

Ⓘ4-579-40247-2　Ⓝ933.7

『ふたりはいっしょ』〔シリーズ〕

アーノルド・ローベル著，三木卓訳

内容 がまくんとかえるくんの物語「よていひょう」「はやくめをだせ」「クッ

キー」「こわくないやい」「がまくんのゆめ」の5編を収録。ニューベリー賞受賞作。

文化出版局　1983.4　64p　22cm　（ミセスこどもの本）　854円
Ⓘ4-579-40248-0　Ⓝ933.7

『ふたりはきょうも』〔シリーズ〕

アーノルド・ローベル著，三木卓訳

内容 がまくんとかえるくんのシリーズ4作目。たこあげするときも、誕生日をお祝いするときも、おばけの話をするときも、いつもふたりはいっしょです。

文化出版局　1980.8　64p　22cm　（ミセスこどもの本）　854円
Ⓘ4-579-40094-1　Ⓝ933.7

『ふたりはいつも』〔シリーズ〕

アーノルド・ローベル著，三木卓訳

目次 そりすべり，そこのかどまで，アイスクリーム，おちば，クリスマス・イブ

内容 がまくんとかえるくんのシリーズ4作目。たこあげするときも、誕生日をお祝いするときも、おばけの話をするときも、いつもふたりはいっしょです。

文化出版局　1977.5　64p　22cm　（ミセスこどもの本）　854円
Ⓘ4-579-40080-1　Ⓝ933.7

和田 誠　わだ まこと

〈からはおもくて…〉

（光村）「国語 あおぞら 三下」 2020, 2024

『ことばのこばこ』

和田誠さく・え

内容 しりとり、句読点遊び、回文、かぞえうた、なぞかけ遊びなど、全18種類のことばあそびを軽妙なタッチのイラストで楽しむ絵本。無限に広がることばの小宇宙へ和田誠と遊びに行こう。1981年刊の再刊。

瑞雲舎　1995.7　1冊　31cm　1748円
Ⓘ4-916016-04-1　Ⓝ807.9

索　引

教科書別索引

書名索引

教科書別索引

◆学校図書

「みんなとまなぶ　しょうがっこう こくご 一ねん上」

2011 年

2015 年

2020 年

「みんなとまなぶ しょうがっこうこくご 一ねん下」

2011 年

2015 年

2020 年

「みんなと学ぶ 小学校こくご 二年上」

2011 年

2015 年

2020年

「みんなと学ぶ 小学校こくご 二年下」

2011年

2015年

2020年

「みんなと学ぶ 小学校国語 三年上」

2011年

2015年

2020年

「みんなと学ぶ 小学校国語 三年下」

2011 年

2015 年

2020 年

◆教育出版

「ひろがることば しょうがくこくご 一上」

2011 年

2015 年

2020 年

2024 年

「ひろがることば しょうがくこくご 一下」

2011 年

2015 年

2020年

2024年

「ひろがることば 小学国語 二上」

2011年

2015年

2020年

2024年

「ひろがることば 小学国語 二下」

2011年

2015年

2020年

2024年

「ひろがる言葉 小学国語 三上」

2011年

2015年

2020年

2024年

「ひろがる言葉 小学国語 三下」

2011年

2015年

2020年

2024年

◆三省堂

「しょうがくせいのこくご 一年上」

2011年

2015年

「しょうがくせいのこくご 一年下」

2011年

2015年

「小学生のこくご 二年」

2011年

2015年

「小学生のこくご 学びを広げる 二年」

2011年

2015年

「小学生の国語 三年」

2011年

2015年

「小学生の国語 学びを広げる 三年」

2011年

2015年

◆東京書籍

「あたらしいこくご 一上」

2011年

2015年

2020年

2024年

2024年

「新しい国語 二下」

2011年

2015年

2020年

2024年

「新しい国語 三上」

2011年

2015年

2020年

2024年

「新しい国語 三下」

2011年

2015年

2020年

2024年

◆光村図書出版

「こくご かざぐるま 一上」

2011年

2015年

2020年

2024年

「こくご ともだち 一下」

2011年

2015年

2020年

2020 年

2024 年

「国語 わかば 三上」

2011 年

2015 年

2020 年

2024 年

「国語 あおぞら 三下」

2011年

2015年

2020年

2024年

書名索引

【あ】

【か】

【さ】

【た】

【な】

【は】

【ま】

【や】

【ら】

【わ】

監修者紹介

栗原 浩美（くりはら・ひろみ）

筑波大学附属小学校学校司書。

群馬県公立小中学校の教諭、司書教諭として勤務後、千葉県公立小学校、私立学校の学校司書を経て、2011年より現職。

学校司書として図書館を活用した授業の支援を行うほか、同校国語科非常勤講師として、読書活動を中心とした授業も担当している。

分担執筆

『学校図書館メディアの構成』（全国学校図書館協議会，2020年）

『学びの環境をデザインする学校図書館マネジメント』（悠光堂，2022年）

読んでみよう！

教科書に出てくる名作500冊 1～3年生

2024年1月25日　第1刷発行

監　　修／栗原浩美

発 行 者／山下浩

発　　行／日外アソシエーツ株式会社

〒140-0013 東京都品川区南大井6-16-16 鈴中ビル大森アネックス

電話(03)3763-5241（代表）　FAX(03)3764-0845

URL　https://www.nichigai.co.jp/

組版処理／有限会社デジタル工房

印刷・製本／株式会社平河工業社

ISBN978-4-8169-2991-5　***Printed in Japan,2024***